D0609127

GÉSU RETARD

DU MÊME AUTEUR

Axel et Nicholas, suivi de *Mémoires d'Axel,* roman, Éditions du Jour, 1973.

L'aigle volera à travers le soleil, roman, Hurtubise HMH, 1978 ; Bibliothèque québécoise, 1989.

Rue Saint-Denis, nouvelles, Hurtubise HMH, 1978 ; Bibliothèque québécoise, 1988.

Du pain des oiseaux, nouvelles, VLB éditeur, 1982.

Journal de mille jours. Carnets 1983-1986, journal, XYZ éditeur/Guérin éditeur, 1988.

De ma blessure atteint et autres détresses, nouvelles, XYZ éditeur, 1990.

Carnet sur la fin possible d'un monde, nouvelles, XYZ éditeur, 1992.

André Carpentier

GÉSU RETARD

*Fait divers montréalais en huit journées
et dix-sept dictées sur le temps vécu*

roman

Boréal

Les Éditions du Boréal remercient le Conseil des Arts du Canada ainsi que
le ministère du Patrimoine canadien et la SODEC pour leur soutien financier.

© 1999 Les Éditions du Boréal
Dépôt légal : 3ᵉ trimestre 1999
Bibliothèque nationale du Québec

Diffusion au Canada : Dimedia
Diffusion et distribution en Europe : Les Éditions du Seuil

Données de catalogage avant publication (Canada)

Carpentier, André

Gésu Retard

ISBN 2-89052-999-1

I. Titre.

PS8555.A761R46   1999   C843'.54   C99-941162-4

PS9555.A761R46   1999

PQ3919.2.C37R46   1999

À eux, à elles, ceux, celles…

Liminaire

Viens donc avec moi
et amusons-nous un peu
moineau sans parents

ISSA KOBAYASHI

Un de ces jours de mutisme que je comparais mes ambitions aux résultats d'une existence qui s'use, je reçus par la poste, de l'ami que je négligeais le plus au monde, huit cahiers et carnets en façon de journal intime contenant les dix-sept dictées que voici. C'était voilà tantôt dix ans. L'expéditeur, Gésu Retard, un ami de jeunesse, fut surtout connu comme l'auteur de redoutables canulars qui marquèrent l'imaginaire des plus désenchantés d'entre nous et lui valurent la complicité des plus insubordonnés.

Ces dictées racontent, au fur et à mesure d'événements répartis sur une huitaine de jours, une aventure dans laquelle je ne tins qu'un rôle secondaire et dont l'esprit est marqué à l'empreinte tout épineuse de Gésu Retard, en même temps qu'elles portent témoignage sur sa vie de marginal, dont se croisent et s'emboîtent ici quelques motifs et ressorts.

Cet orphelin à tête d'Amérindien, qui portait en tout temps un casque et des lunettes d'aviateur de la Première Guerre mondiale et au cou un sifflet de marine, comme d'autres un médaillon, chercha longtemps un père, un ami, un confident, sans jamais rien trouver de cela. Qu'il fût inadapté aux ruses de ce temps déraisonnable, comme il le dit quelque part, son allure d'ahuri, sa solitude radicale et ses extravagances le prouvèrent à l'excès.

Professeur de géographie devenu répartiteur à mi-temps pour une compagnie de taxi, Gésu Retard réalisa une encyclopédie en mode informatique des bruits quotidiens en Occident restée inédite pour cause d'inutilité. C'était là sans doute ce qui lui rendait la chose secourable. Il se passionna aussi pour le cirque, comme tous les enfants abandonnés, et habita un appartement encombré de mannequins d'étalage et d'objets hétéroclites, ce qui conférait à son lieu un aspect d'entrepôt de théâtre.

Gésu Retard était un être diffus, plutôt imprévisible, chez qui tout paraissait extrême, un fou de randonnées à bicyclette, un fouineur qui effrayait les enfants et attirait sur lui la suspicion plutôt que l'affection, un itinérant de cœur, un marginal par la force des choses ; seul toujours parce que trop épuisant pour les autres et trop éreinté par tous pour frayer. Pour si asocial qu'il fût, cependant, il n'en fréquenta pas moins, et avec ferveur, le méandre des rues, des parcs et des places. Il vécut parmi tous, bien qu'à l'écart de chacun, seul avec ce qu'il aimait. Pour lui, vivre en société comptait autant comme cela importait peu.

Il eut, dans la configuration mondaine, vocation à être irrévérencieux, disent certains ; je vois la chose par un autre biais : Gésu Retard avait partie liée avec notre mauvaise conscience. Il figurait parmi ces originaux et détraqués, comme il s'en trouve aux abords de tous les quartiers latins du monde, ces solitaires qui ne pensent ni ne font rien comme la majorité, ces dévorés de curiosité et de justice qui ne se privent pas de dénoncer les iniquités et oppressions ni de braire des injures au passage des arrivistes, fourmis rassasiées qui, ayant un jour tiré les bons nombres aux dés, feignent de maîtriser les cent mille figures des choses. *Gésu Retard* sut, mieux que ses amis de principe, comme il faut qu'on s'objecte aux règles du plus fort. Il demeure par ainsi le seul d'entre nous qui put prétendre avoir atteint là vers quoi il tendait : la dissidence absolue. Il aura su aller contre la volonté des acteurs de l'unanimité et aura incarné jusqu'au bout l'artiste de la non-conformité. Il aura compris que ce qui doit nous arriver ne peut venir d'une réserve confinant au consentement tacite.

À un assez jeune âge, j'enseignai dans la même école secondaire que Gésu et fis partie de la même fausse cellule du Front de libération du Québec. Beaucoup plus tard, dans le moment qu'on me reconnaissait une vitalité de poète, je l'initiai au mouvement international Spek, dont la vocation poétique consiste à épier la banalité coutumière, autour de soi et en soi, et d'en témoigner par des haïkus diffusés anonymement auprès de membres locaux du Réseau. Gésu en parle dans les dictées, on verra de quoi il s'agit.

Je demeure, par-devers moi, inconsolable de la perte de Gésu Retard, que je ne revis plus après les événements rapportés dans ces dictées et avec qui je n'échangeai pas même une parole au cours des vingt dernières années, pour la raison que l'esprit spek désapprouve les relations d'amitié entre membres d'une même cellule. Je coupai les ponts et m'engonçai dans une retraite de littérateur. Et Gésu, plus tard, et peut-être en réaction à cette rupture, de murmurer l'édifice de mots de ces dix-sept dictées au lieu de s'emmurer.

S'ajoute à cela que Gésu ne savait pas bien entretenir l'amitié, et moi moins que lui. Nous n'étions ni l'un ni l'autre du genre à céder à la comédie du bavardage. Une sorte de fidélité au *mutisme nous unissait au-delà du déchirement. Mais que si par insouciance j'aie omis de bien aimer et d'aimer assez cet ami indispensable, je n'ai que moi à blâmer.*

Gésu Retard, qui vécut les dix dernières années de sa vie sur la Côte-Nord sous un autre patronyme, disparut aux premiers battements de ce XXIe siècle, dont l'essor l'effrayait moins qu'il n'attisait son indignation, à cause de la déresponsabilisation sociale surtout, et du pouvoir invisible qui s'en lave les mains. Apparemment parti en randonnée dans la forêt boréale un matin d'automne, il ne reparut pas. Certains le croient vivant d'une vie de plus, ailleurs ou en Irlande, d'autres n'en savent rien.

Je n'ai apporté aucune retouche de sens ou d'expression aux dictées de Gésu, sauf pour ajouter à l'ensemble un titre et à chaque dictée un intertitre bavard sous forme de résumé, y ayant autant de déplorables que de valables mobiles d'agir ainsi. Je n'aurai donc résisté à la tentation, si longtemps réprimée! de mêler mon expression à la sienne.

Le soin que je prends aujourd'hui à diffuser ces dictées ne compense pas la négligence mise à récupérer à temps des caisses d'autres documents qu'il m'avait demandé de ramasser avant que l'éboueur ne les emportât. Je m'expliquerai là-dessus quand il le faudra, si pas devant ceux qui entretiennent sa légende de poète du canular, peut-être devant Dieu — qui est l'autre nom de la Mort.

Je n'en dis pas plus, le reste apparaît en toile de fond dans les dix-sept dictées de ce Gésu qu'à tort nous avions cru de peu de mots.

Tino Mongras

Jour 1, un jeudi

DICTÉE 1

Où Gésu Retard ne saura dire ce qu'il y a
dans le regard de qui l'examine de près

Çà! puisqu'il faut griffonner dans ce cahier interligné —
c'est ainsi que j'en ai décidé, sans trop de raisons, du moins que
je sache —, eh bien que je m'étourdisse de mots, et que sous peu
ça parle de moi — rien que ça! — mais d'abord de tout autre
chose, du débarquement à l'improviste d'un visiteur martiniquais dans mon jardin secret... L'enchevêtrement des temps et
des faits privés me rattrapera bien en cours de route.

C'était il y a peu, ce jourd'hui même d'avril montréalais, vers le milieu de la soirée, entre saison des neiges et période
des mouches, à trois ou quatre mille et une nuits de l'an deux
mille. Assis parmi les mannequins d'étalage qui peuplent

l'appartement, la plupart endommagés, borgnes ou culs-de-jatte, des rejetés des devantures ou des arrière-boutiques, je goûtais une musique de cirque propice au réconfort, bien que jamais assez consolante. La célèbre *Entry of the Gladiators* de Julius Fučík donnait ses meilleures mesures lorsque a retenti, à trois reprises, une sonnerie que je n'avais pas entendue depuis des mois.

C'était un visiteur américain à l'accent des Antilles, un Martiniquais de Chicago, mathématicien de renom, qui téléphonait de la gare des trains pour s'annoncer. Ce Washington Desnombres, qui demandait plus le gîte que le couvert, se disait de passage à Montréal pour quelques jours, le temps d'assister à un congrès international de sciences mathématiques et à un lancement de livre. Un ami de Chicago, dont le nom est resté d'autant plus insaisissable au téléphone que je crois ne connaître personne au bas bout du lac Michigan, m'aurait écrit, paraît-il, pour l'introduire chez moi, mais je n'avais pas encore déboutonné l'enveloppe restée aimantée au réfrigérateur. Sauf très rares exceptions, je ne mets pas moins d'un mois avant d'ouvrir le courrier, préférant attendre que les choses se soient tempérées avant de les encaisser. Il s'en manque beaucoup, faut croire, que je sois du genre qui reçoit des bonnes nouvelles par la poste.

Je serais né Retard, Gésu Retard, un 26 décembre, dans la basse-ville de Québec, d'une Montagnaise de la Basse-Côte-Nord, qui aurait battu les trottoirs de la rue du Sault-au-Matelot — information arrachée aux sœurs de la Charité qui m'ont recueilli —, et d'un marin, sans doute — ça, il m'aura fallu l'imaginer. Et qui était-il donc, çui-là? Un Irlandais du Downshire ou un Écossais des Lowlands engagé comme homme de cale? Un pêcheur chalutier du Bas-Saint-Laurent, un Cantonais né dans une ruelle couverte du marché Qingping? Allez savoir! Peut-être un Napolitain d'I Bassi, beau chanteur en permission à Québec? Qu'importe, il serait aussitôt reparti, ce loup de mer, aurait sauté le fracas des brisants et traversé les mystères océaniques sans laisser derrière lui matière à fabriquer une imago paternelle.

Et comme si cet abandon n'était pas assez pathétique, il m'aurait été donné une bien vilaine figure de clown triste. On ne peut mieux rater son entrée dans la vie. Le nez ombrageux et le front volontaire, on les dit maintenant farouche l'un et fripé l'autre, les yeux mâchurés d'effroi seraient devenus acrimonieux dès l'enfance, avant qu'une série de déconvenues les rendent équivoques, la bouche est restée amère, les oreilles dressées comme des renards frétillants, au dire répété des Sœurs, le tout monté sur des pattes de grenouille.

Qu'a-t-elle pensé, la Montagnaise, en voyant ce cocon grimaçant échappé de ses entrailles s'aplatir sur son ventre? à quoi songent-ils tous quand je viens m'échouer parmi eux, sous le casque et les lunettes d'aviateur qui ne me quittent pour ainsi dire jamais? J'ai un temps voulu débrouiller le tissu de cette question, mais une ombre a fini par passer sur ce que j'aurais eu à dire là-dessus, comme si je m'en étais déshabitué ou comme si ça ne vivait plus en moi.

Puisque ce Washington Desnombres se confiait à mon hospitalité, j'ai résolu d'aller à sa rencontre dans le lieu même de la gare, ce à quoi il n'a pas refusé son accord. Résolu, dis-je, mais mollement, car j'avoue qu'après le soir tombé, je n'échange pas sans hésitation la coquille de l'appartement contre l'immensité inépuisable de la ville, ni ne réintègre volontiers les ombres et rumeurs du soir après m'en être soustrait; cette humaine détresse que la matière inerte capte le jour, la nuit la dilate en un précipité d'émotions vives qui n'est jamais que ce que l'on porte en soi, et ça, qui veut le voir en face ? Pas moi, en tout cas.

J'ai donc tout fait, moi qui m'épouvante à la seule idée d'essuyer des regards indiscrets, pour atermoyer ce rendez-vous avec un inconnu, qui de surcroît m'avait paru d'un esprit mordant, jusqu'à prendre le temps d'écouter d'autres pièces instrumentales avant de sortir, dont *L'Entrée des forains* d'Henri Sauguet. Dès après l'intro, tout abandonné que j'étais déjà à une rêverie secourable, animée d'acrobates, de clowns et de faisceaux lumineux, je projetais la relation dans un cahier de cette hypothétique rencontre. Manquait toutefois le cahier, car je ne tiens chez moi que des feuilles volantes.

Je voudrais bien, comme chacun, pouvoir dire entre les cuisses de quelle sorte de femme j'ai autrefois déboulé et le grincement que ç'a déclenché, mais ça ne m'est pas donné de me souvenir de ces détails. La Montagnaise m'aurait abandonné par appétit d'amour ou simplement par désir de se voir ailleurs et sans moi, avant même que j'aie l'âge de l'observer d'un esprit détaché. Elle m'aurait nourri deux fois au sein, puis deux ans au lait de vache, comme si j'avais été un veau, puis elle aurait quitté la ville en m'oubliant parmi les poubelles de l'orphelinat des sœurs de la Charité de Québec.

Depuis ce jour nauséabond, je n'ai plus voulu remettre les pieds dans cette ville ni palper d'autres seins, jamais, même si je ne pense qu'à ça, toujours, au point que les femmes considèrent que je leur darde en coin des œillades harcelantes, même quand je ne les regarde pas. Faut dire qu'on me reconnaît en toute occasion — matin et soir, hiver, été, seul ou avec d'autres — au pic à glace qui me serait ostensiblement resté planté dans l'aine depuis la circonstance où j'aurais été pour la première fois attaqué d'amour. Ç'aurait été environ l'année de l'entrée à l'école, dernier virage dans la trajectoire de la petite enfance. De fait, je ne me souviens pas d'avoir vécu autrement que le membre à son comble, la bitte érigée en opulence, disons-le, provoquant la toux des scrupuleux et le sifflotement des incrédules.

En ce temps, on m'aurait surnommé Manche de Pelle; un peu plus tard, j'aurais perdu le sommeil, et plus tard encore, tout lien de tranquillité avec la nuit.

Il m'a bientôt fallu, sous le coup du convenu avec le Mathématicien, aller me glisser dans la bastringue du métro, cette voie d'accès à la ville souterraine qui intrigue tant les touristes français surtout, qui s'extasient la bouche en cul de poule. J'ai pris l'air d'un habitué jusqu'à la gare, là où tout dénonce le passage du temps, tout sauf la grande horloge aux aiguilles retombées sur le six. Elle ne fascine que les démodés de ma sorte, cette porte dérobée qui donne accès au cœur de la ville, sans escalier monumental ni portique à colonnes, sans verrière à ogives ni frises végétales, à quoi il manque tout pour que ça soit autre chose qu'un cube évidé. Si je voyageais — ce n'est pas mon genre de faire bouger l'immobile au-delà de la cité —, je ne rentrerais jamais par une autre trappe, surtout pas par un aéroport.

Je lui avais dit quelque chose comme : « Je ne suis pas très plaisant à voir, mais je me ferai souriant, j'aurai une Toblerone à la main, tiens! je porterai un pantalon pied-de-poule, vert sur jaune, un casque et des lunettes des débuts de l'aviation. » L'homme avait répliqué qu'il serait accroché à un sac mou orné de motifs de tapisserie, qu'il porterait, bien enfoncé, un bonnet de laine à l'effigie de l'équipe de hockey de Chicago, ce qui lui dessinerait la tête en forme d'obus, et qu'il retiendrait sa respiration pour accentuer son teint marron clair, peut-être même a-t-il précisé qu'il serait occupé à résoudre un problème de maths, c'est sa manie, en noircissant les pages d'un calepin.

Nous nous sommes reconnus sans hésitation, m'a-t-il semblé, et l'événement de cette rencontre s'est inscrit dans la foulée de quinze millions d'années d'évolution sans qu'il y paraisse. Il a consigné quelque chose de moi au premier regard, qui concernait cette saillie joufflue au milieu de la fourche, je m'en suis aperçu sur-le-champ, j'ai l'habitude. C'est ça qui me chiffonne dans l'attention de l'autre, ce qui est capté et retenu dans un lieu humain rétif aux retouches et ajustements ; mais là, je ne m'en suis pas formalisé, on devinait que le Mathématicien n'aurait pas moqué plus fragile que lui. Il me tenait cependant tout entier dans son regard et de si près qu'il ne me laissait aucun point de fuite. Sourd de lui une tranquillité agissante qui le met en toute innocence au-dessus de l'autre, du prochain ou du suivant…

J'ai fait remarquer que le tableau des arrivées ne prévoyait, à cette heure, aucun train de Chicago, mais il a balayé ce détail en résumant l'épisode d'un transit par Toronto, où il avait dû participer à des retrouvailles d'expatriés antillais, je crois, et où il s'était en fin de compte intéressé à tout autre chose. Il a parlé de musique, précisant qu'il se jouait de l'assez bon jazz dans certains bars torontois ; il en a nommé quelques-uns, mais je n'ai rien retenu de cet inventaire. J'ai compris qu'il était du genre à cueillir en tout temps l'événement. Dévoré par l'instant, il devait sans cesse chercher à remplir le vide entre une circonstance et l'autre, je connais ça.

Dans la béance effilée de ses yeux, on aurait cru voir se

dessiner des paysages aux horizons diagonaux derrière des arbres caducs indifférents aux vents asséchants. C'est un homme des tropiques, certes, mais je dirais surtout un être en détresse, nonchalant devant son destin. J'ai pensé que les maths, ça devait être sa manière à lui d'être seul.

Puis il a greffé sur le peu qu'il allait dire, sans que rien lui soit demandé, que ce n'était pas sa première visite au pays, qu'il avait surtout fréquenté les universités de province, à cause des gens et des paysages, et qu'il était arrivé par train parce qu'il souhaitait séjourner le moins possible dans cette contrée de rêveurs gâtés qui en tout temps vrombit autour de la planète, l'avion. Comme si nous lisions dans les mêmes pensées, il a ajouté : « Le train, c'est le pays utérin qui ouvre à toute destinée » ou quelque chose du genre. La portée de sa voix étant plus courte que la distance nous séparant, fallait le faire répéter ou attendre que les phrases se rendent en pièces détachées jusqu'à soi pour les reconstituer.

Je dirais que nous sommes apparus comme plutôt mystérieux l'un à l'autre, ce qui a donné lieu à un remous de questions sans réponses. Lui ai confié cette demi-vérité, allez donc savoir pourquoi, que c'était une nonne d'origine italienne qui m'avait baptisé Gesualdo, mais que je n'en utilisais que le diminutif, agrémenté d'un accent très aigu, et que ce prénom avait eu pour fonction d'en remplacer un autre dont je n'ai jamais pu me ressouvenir, autrefois comme maintenant. Et lui, Washington ? Il a feint de chasser une mouche, puis a expliqué que sur la question du prénom à lui donner, ses tantes martiniquaises s'étaient montrées divisées, qu'il y avait eu le clan Napoléon et le clan Wellington, et que sa mère avait tranché pour Washington, en espérant ne blesser personne, mais qu'elle n'avait réussi qu'à embarrasser toute la famille, son fils y compris.

La contusion ecchymosée, sur l'os de la joue droite du Mathématicien, elle n'y ressemblait peut-être pas vraiment, mais elle a évoqué en moi l'Irlande ou la botte italienne. Faut dire qu'un rien éveille chez moi des représentations de l'Irlande, de l'Italie, de l'Écosse, de la Chine et même du Bas-Saint-Laurent. C'était à se demander s'il n'avait pas été victime d'un accident. Dans ses yeux, qu'on aurait dits écorchés par trop de réalité, se lisait une forme de douceur adressée au monde et aux êtres qui le composent, sauf, je dirais, à l'égard des gaffeurs, à qui il avait l'air de ne rien pouvoir pardonner : « Un geste manqué, une prouesse ratée et ridicule à souhait », a-t-il marmotté en affectant de repousser le même maringouin imaginaire ou un autre, s'il est possible de faire vivre en soi plus d'un moustique fictif.

À la librairie de la gare, j'ai pigé une huitaine de carnets et cahiers dans un bac à soldes, sans y regarder de trop près. Le Mathématicien en a choisi quelques-uns pour lui, des petites choses jaunies avec des couvertures sépia à la façon d'il y a très longtemps. Il semblait content, pour autant qu'on puisse l'être de si peu.

Nous n'avons pas traîné dans le hall de la gare, on aurait dit que quelque chose pressait. Ça m'a l'air que nous avons en commun, sans trop le savoir, que la précipitation constitue chez nous une manière effrénée de flâner.

Dans un corridor du métro, j'ai eu une réaction trouble devant une publicité de tabac à chiquer représentant un homme assis lisant une bande dessinée avec un enfant aux yeux noirs debout entre ses genoux, les deux béats d'aise. Au-dessus, on pouvait lire le slogan : *Mon père chique.* J'ai répété un rire nerveux, un de ces ricanements étouffés dont j'ai la manie et qui a le défaut, aussitôt lancé, de se briser sur lui-même. Washington Desnombres n'a pas été sans discerner cet embarras, je me suis aperçu de ça aussi. Il affichait le sourire grave de ceux qui savent, mais comme je n'ai jamais compris ce que pouvaient bien éprouver et connaître ceux dont on dit qu'ils savent, mon admiration, si c'en était, n'a été qu'une sorte d'en-cas, comme dans la crainte de Dieu. Bon prince pour deux, il a distrait mon attention et fait sonner une pleine main de pièces américaines dans la chéchia d'un musicien du métro.

Dans le wagon, parmi les faces éclairées au néon, nous n'avons échangé que quelques formules mal entendues, il s'égarait sans répit par la fenêtre, comme si un panorama s'y déroulait. Les gens m'examinaient de cet air qu'ils ont quand je passe près d'eux ou de leurs enfants. La meilleure façon d'avoir la paix, ce serait de leur ressembler, de passer inaperçu parmi les promeneurs usuels, de marcher dans les pas de chacun, d'être l'ombre de tous, la réplique de la plupart, mais ça, c'est trop fort pour moi ; j'ai beau m'engoncer, me couvrir du casque d'aviateur, me cacher derrière les lunettes, même suspendre ma respiration et y penser fort, je n'y arrive pas.

À compter de la station Berri-UQAM, nous avons été bousculés puis tassés contre la céramique par les retours du match de hockey. Nous sommes restés plutôt silencieux dans la rogne d'une fin de partie décevante. Le Bleu-Blanc-Rouge local a mal joué, clamaient les uns, les Bleus de Québec ont dominé, prétendaient les autres. Seul objet d'unanimité, l'arbitre avait été pourri ! Ç'aura été un premier match de série éliminatoire — un 4 de 7 — perdu de façon décisive. Dans la station Laurier, la foule défilait la tête basse dans un tumulte de pas, des volontés divergentes couraient en flux dans tous les sens, certains trouvaient des pièces de monnaie sur le sol. Difficile d'être quelqu'un parmi tant de semblables. Je détaillais à l'avenant des femmes qui s'empoignaient aussitôt le poitrail comme on verrouille la sacristie à double tour.

Aux tourniquets de sortie, un drôle de type affublé d'un chapeau western, un Stetson blanc trop grand pour lui, qui nous dévisageait depuis Berri-UQAM, peut-être même nous suivait-il depuis la gare, m'a lancé une œillade admirative vers le renflement de l'aine : « Dis donc, mon bonhomme, tu fais pas la guerre avec un tire-pois, toi ! » Le Mathématicien, feignant de ne pas reconnaître ce calque de l'anglais, est aussitôt intervenu pour demander, sur un ton plutôt engageant, m'a-t-il semblé, ce qu'était un tire-pois ! « Une sarbacane d'enfant, a précisé l'autre, d'ordinaire faite d'une matière plastique qui invalide l'exotisme du roseau sauvage... » Ah ! mais qu'on ne se méprenne pas à ces tournures, certes miennes, mais qui traduisent le sens mobilisé par le drôle de type.

Ils ont engagé la discussion devant le cagibi vitré du changeur, qui est lui-même sorti pour se mêler à la conversation ; alors il y a eu une rumeur de mots épars : jazz, nuit, harmonica, Stetson, bonnet, vous voulez dire « tuque »... après quoi Desnombres a noté des numéros de téléphone dans un calepin, en marge de calculs et d'équations, puis l'événement s'est désamorcé sans avoir tourné à l'engueulade. Je n'ai pas eu à japper ou à fuir des regards, des gens, un lieu coutumier.

Dans l'escalier mécanique, puis à la sortie, le Mathématicien affichait une désinvolture inverse de cette mienne figure de bouder qui bloque tout accès à ce qu'il pourrait y avoir en moi de jubilatoire. Cette réserve qui me confine dans l'effacement, on dit que je l'aurais choisie jeune, à une époque dont le souvenir m'est arraché. Certains comprennent ce repliement comme de la froideur ou de l'insolence, au point qu'on m'a souvent reproché cette attitude, comme si elle contenait un jugement sur les gens qui me dévisagent. C'est le problème de certains de ne pouvoir accepter un regard qui ne les installe pas au centre de l'humanité.

Nous sommes rentrés à deux sur la bicyclette que j'avais laissée près de la station de métro, cadenassée à l'un de ces frêles féviers que la Ville plante partout. N'importe qui aurait pu piquer le vélo et déguerpir avec l'arbre sur le guidon. Nous avons roulé en sourdine contre un vent buté, l'un derrière l'autre — on aurait dit les rameurs de la Tamise —, moi au pédalier, lui à califourchon sur le porte-bagages, dans le fond nord du Plateau Mont-Royal, un quartier d'employés, de chômeurs et d'étudiants, de peur de réveiller, l'un quelque chose d'accroupi dans le noir qui l'aurait menacé, l'autre quelque chose d'assoupi en lui qui l'aurait métamorphosé.

C'était certes le même quartier qu'à l'ordinaire, creux comme l'enfance, qui a transformé ses terrains vagues en quarts de parcs, mais sans doute à cause de la nuit, ou était-ce les lunettes d'aviateur ? il paraissait plus suspect de servir d'autres maîtres. Même les rues transversales, muettes et figées dans leur déficit d'humanité, donnaient l'impression d'avoir été jetées là en désordre, comme des dominos. Des ombres mobiles descendaient des arbres encore défeuillés par l'hiver, comme si elles avaient voulu se saisir du sac que Desnombres portait sur la tête.

Il n'a prononcé que quelques mots durant le trajet, le Martiniquais, d'abord un chapelet de jurons, « Fout tonnè ! Holy shit !... », devant un graffiti tracé sur la vitrine d'une maison de la presse : *Mado, tu me trompes avec ton boulot !* signé *Léo*, ou le contraire, je ne sais plus trop. Et un peu plus loin : « Vous vivez seul, vous, n'est-ce pas ? » J'ai dû lui expliquer que j'étais un cas

25

d'une espèce peu commune : jamais démarié parce que jamais marié, autrefois prof de géographie auprès des ti-culs de douze ans dans une école où les collègues cohabitaient comme des billes dans une poche, se polissant à force de se frotter, démissionnaire par lassitude plus que par découragement et un peu foutu à la porte parce que suspect d'inclination pour le Front de libération du Québec, en 1970, et enfin devenu répartiteur à Hep Taxi ! par fascination pour la trame urbaine.

Les branches se faisaient craquer les jointures, on aurait dit une chauve-souris déchiquetant un criquet ; j'ai noté ça sous la rubrique des petites choses déconcertantes, mais comme sans l'enregistrer vraiment, c'est pourquoi ça devrait me revenir plus tard à l'esprit. Mais attention, je pourrais bien figurer dans la fraternité de ces solitaires qui, pour ne pas perdre l'attention qui leur est accordée, racontent par avance ce qui ne surviendra pas.

J'habite rue Saint-Denis, entre l'avenue du Carmel et la voie ferrée — qui au siècle dernier reliait la ville aux terres de colonisation des Hautes-Laurentides —, dans la zone moche du Plateau, là où il n'y a ni façades italianisantes d'épinette ouvrée, ni porches surmontés de balcons à motifs façonnés d'entre-croisements et de cannelures, ni fenêtres en saillie, ni avant-toits à console, ni escaliers hors-d'œuvre à volée spiralée et à fer forgé en volute. Rien donc de ce qui fait que cette ville ne ressemble à aucune autre, et tout ce qui fait que ce quartier n'a l'air de rien.

À la maison, Desnombres a paru intrigué, mais moins frappé que d'autres par mon bric-à-brac, les serviettes de plage à l'effigie de Mickey Mouse ou de Snoopy pendues aux fenêtres, les meubles de patio dans la salle à manger et dans le salon, le distributeur de Coca-Cola plutôt décrépit qu'ancien, les lustres d'ombrelles chinoises, les machines à écrire désuètes, les affiches de pays où je pourrais avoir un… matelot, et les mannequins sans expression partout installés comme chez eux, tous interrompus au milieu d'un taï chi hyperminimaliste, dans une posture empruntée qui donne accès au presque humain. J'ai profité de la distraction de l'invité pour transformer le studio de sonorisation en chambre d'amis. Après avoir déménagé vers le salon la silhouette arrêtée du mannequin gardien de l'équipement de sono, j'ai disposé un quart de rame de papier, des stylos-feutres, des mouchoirs en papier et la Toblerone sur le pupitre d'écolier, sous la lampe d'architecte. Paraît qu'en règle générale les visiteurs apprécient ces attentions. J'ai enfin jeté la boule d'un sac de couchage sur le canapé, puis, comme pour gommer un silence incommode à l'hospitalité, j'ai fait remarquer le pied de lampe en tilleul sculpté, sur la table de chevet, qui représente ce que le Mathématicien désignait sous le nom d'élan d'Amérique, qu'on appelle ici orignal, par emprunt au basque, et j'ai tenu un discours aussi long que décousu sur les habitudes de solitaire de l'orignal et sa manière de s'agenouiller sur les poignets pour paître. L'invité progressait vers moi, tout sourire, tandis que je reculais en rond dans la pièce et persistais à décrire l'empaumure du mâle, avatar d'anciennes défenses, sa manière de lancer des brames formidables et de se gonfler le cou, en période de parade amoureuse, pour paraître plus imposant que nature, et la difficile cohabitation des orignaux avec les humains. Il avançait toujours, je ne tarissais pas, multipliant les détails sur le domaine naturel de l'orignal, la taïga, d'un mot russe, et sur la toundra, d'un mot lapon.

« J'imagine que vous auriez aussi beaucoup à dire sur le renard, a-t-il comme pensé à haute voix.

— Ah! ça non, je ne sais rien du renard, ou si peu que ça ne compte pas. Mais pourquoi le renard? »

Alors il s'est enferré dans un silence de prière au point de demeurer aussi mystérieux que les données d'un problème. Comme je me sentais refoulé hors du studio, j'ai renoncé à retirer les affiches d'oreilles épinglées aux murs; après tout, en quoi ces gros plans de l'appareil auditif, des pavillons et des vues en coupe de l'oreille interne auraient-ils dérangé ce convive dont le séjour se voulait bref?

J'entretiens une passion inflexible pour les choses de l'ouïe, c'est pourquoi j'ai risqué à peu près en ces mots une confidence jamais faite à personne : « Certains se plaignent des acouphènes qui les empêchent de dormir, eh bien pas moi, je tiens ces tintements pour des signes tenaces de mon appartenance au monde. » Il a enchaîné en s'aidant d'un signe de connivence : « Vous et moi, cher… orignal qui jase — vous permettez que je vous appelle ainsi? c'est dit sans emphase et avec cordialité —, vous et moi, nous comprenons la cohorte des hallucinés du tympan, y compris ceux des siècles d'autrefois qui recevaient ces bourdonnements criards dans le placard de l'âme, ce qui les faisait sombrer dans la plus vive extase, comme s'il s'était agi de voix divines; nous savons que ce ne sont là que des traquenards, en fait des canulars du corps conçus pour tromper les esprits faiblards. N'est-ce pas? »

Cet homme, de toute évidence à l'étroit entre l'âge de raison et l'âge déraisonnable, ressemblait pour une moitié au hasard et pour l'autre au pape de quelque courant intellectuel sur le point d'être à la mode. Toute chose prononcée par lui, aurait-on dit, paraissait plus évidente que ce qu'on en savait depuis longtemps. C'est comme ça avec les êtres porteurs d'une blessure féconde.

« Mais j'ai assez bousculé votre routine et votre patience avec ces histoires de renards, de traquenards et de canulars, dont nous reparlerons plus tard, mon cher Retard… »

L'usage impromptu et répété du mot « canular », lancé

dans un insistant jeu de consonances, m'a déconcerté, moi qui, durant plus de vingt ans, ai multiplié toutes sortes de tours et mystifications, allant jusqu'à me faire passer, auprès de journalistes de la presse écrite ou parlée, pour un astrophysicien de l'école nataliste, partisan d'une répartition de la masse humaine autour du globe, dans la perspective d'assurer l'orbite de la Terre, pour un nutritionniste prescrivant de ne se nourrir que d'aliments blancs, dans le but de préserver la pureté des entrailles, pour un jovialiste repentant devenu lecteur de Fitzgerald et de Mishima, pour un spécialiste de l'art canu… Canular sur le canular ! Chaque fois, ç'aura été pour tirer une sonnette d'alarme contre les philosophies pétrifiantes, pour jeter le ridicule sur les zélés de la morale qui ne voient tout qu'en bien ou mal ou sur les acteurs d'un danger touchant le bien-être commun, la liberté d'agir ou l'urgence de penser.

Il y a des années que j'ai renoncé à mon titre de maître ès canulars et à ces impostures dénonciatrices auxquelles on n'adhère qu'un temps. Certains, selon la rumeur, s'ennuieraient de mes meilleurs tours.

J'ai de nouveau fait dévier la conversation et déploré sans conviction l'absence de rideaux ou d'un store à la fenêtre du studio, mais Desnombres n'écoutait déjà plus, qui semblait n'avoir plus d'attention que pour le plan mural accroché au-dessus du pupitre, celui qui représente les quartiers du Plateau Mont-Royal. Il a fait des hum et moi des bah devant cet agrandissement d'un fragment de l'Île en forme de tête d'oiseau, qui délimite le secteur au nord et à l'est par la diagonale du chemin de fer du Canadien Pacifique, au sud par la rue Sherbrooke et à l'ouest par l'avenue du Parc. Mais peu importe le croquis mis en place par cette superficie aléatoire… Ce qui ne parvenait pas à prendre l'allure d'une conversation s'est alors transformé en mutisme, car il semblait qu'on avait beaucoup à ne pas se dire.

Peu d'instants après, l'œil gouailleur, le Mathématicien a prétexté un décalage nord-sud pour exprimer le désir de rester seul une heure ou deux ; sans doute un problème à résoudre. Je n'avais rien contre ça, depuis un bon moment déjà j'avais vidé mon sac de courtoisies.

La vie du roi dépend du peuple, dit un proverbe han, et celle du peuple de la nourriture, alors s'il avait faim, j'allais nous préparer une collation, et tiens ! moi qui suis toujours démuni lorsqu'il s'agit de dire la moindre des choses, pourquoi pas commencer de jeter dans un cahier les détails de la rencontre avec le Mathématicien.

Suis pas du genre qui se rebute de l'écrit, moi qui, tous les matins, depuis l'époque où l'on me croyait muet, griffonne, et à profusion, des aperçus sur tout et sur n'importe quoi, pourvu que ça me mette au milieu des choses et que l'essentiel soit formulé au conditionnel, qui est le mode indicatif du doute. Je couvre, recto verso, au moins dix rames de papier par année, d'une écriture éparse et brouillonne, parfois jusqu'à ne faire tenir que quelques phrases sur un feuillet, cherchant le terme adéquat à mon état d'esprit plutôt qu'aux faits, la formule raboteuse, le ton sans filtre, trop écrit ou trop oral, c'est selon, ne renonçant ni à la rime ni au contrepet, ni à la maladie de l'introspection ni à l'ironie subjective. Cette rengaine de cyclothymique, de marginal plus ou moins dissident, prétendent certains, dure depuis des décennies, au point que je conserve, dans certaines malles métalliques empilées dans ma chambre, de quoi chauffer des mois et tenir un siège d'hiver contre les bien-pensants. Je ne sais si le fait de remplacer la feuille volante par le cahier, l'écriture sur tout et rien — qui sont la même chose — par l'exposé de faits vécus, si peu inusités soient-ils, dans la presse ou par lassitude, j'en sais rien, n'exigera pas plus de résolution et de ressort, et si ça ne me clouera pas davantage à mon lieu.

J'ai quasi rempli le cahier de gros mots, j'entends d'une écriture volumineuse, et avec ça véloce ! comme au temps des dictées que les Sœurs nous infligeaient le lundi avant-midi pour nous remettre dans le souci de l'école, ainsi qu'on met à infuser le café matinier. Je ne saurais dire pourquoi, dans la circonstance, je m'y prends de cette façon tout inhabituelle, si ce n'est pour confesser une fascination pour le Mathématicien, doublée de la prémonition qu'un événement singulier se creuse sous moi.

Voilà.

DICTÉE 2

Où une réalité plausible s'abattra sur Gésu Retard et commencera
de dénouer l'engourdissement qui lui sert de tranquillité

Après la première dictée écrite, c'est sous l'éclairage cru de
la cuisine, face au tronc du mannequin porte-tablier, torchons
et mitaines, un spécimen au regard dénué de ce qu'on voudrait
être, plongé dans un état d'attention effilochée, que j'ai enfin lu
la lettre d'introduction signée par un ami de Chicago au nom
indéchiffrable, dans laquelle on me faisait valoir que j'allais
trouver en Washington Desnombres un personnage comme je
les aimais et que ce compagnon accommodant allait me diver-
tir, voire m'apprendre des choses. Je ne demande que ça.

Mais que sait donc cet intime inconnu de ce que
Gésu Retard peut aimer, alors que je n'en ai pas moi-même
la moindre idée ! La lettre se terminait par cette formule :
« Vous le reconnaîtrez à sa tête qui a pris la forme d'un obus à

compter du jour où, encore enfant, il a étêté le prof de maths en faisant exploser à sa face une équation brisante.» Un postscriptum ajoutait que Washington Desnombres était membre du cercle Spek de Chicago et membre fondateur et honoraire des cercles de Boston, où il aurait longtemps enseigné, de Fort-de-France et de Caracas. Et l'on demandait qu'il soit guidé jusqu'auprès de nos amis du cercle de Montréal.

Je n'ai pu m'empêcher d'en déduire que le Mathématicien et le signataire de cette lettre ne comprenaient rien au grand réseau Spek, qu'ils devaient confondre avec les groupes de haijins traditionnels, ces auteurs de haïkus, honorables j'en conviens, qui se réunissent pour choisir au vote le haïku du mois. L'esprit spek a horreur des rendez-vous et de la convivialité, c'est pas pour rien que j'en suis. Et comment aurais-je pu lui présenter des personnes que je suis supposé n'avoir jamais rencontrées, à l'exception de mon initiateur, ça va de soi, des gens qui ne devraient être pour moi que des pseudonymes? Des infidèles, des païens, ces deux-là! peut-être même des mondains infiltrés dans le mouvement, on ne sait comment ni sous quel déguisement d'artiste ou d'intellectuel patenté.

J'ai attendu, de plus en plus impatient, que la tête d'obus se décide à reparaître. J'ai dû marcher un bon kilomètre dans le corridor et dans la cuisine, ai complété mille petites tâches en retard, récuré un chaudron, détaché et empoté des drageons de palmier, sorti les ordures, vissé au plancher deux mannequins-paterres lisses comme s'ils n'avaient pas vécu, tièdes comme s'ils ne vivaient pas, abstraits comme s'ils ne vivraient jamais. La seule musique d'accompagnement, un mélange de cui-cui aigrelets et de cliquetis aigus, semblait provenir du tuyau d'échappement de la hotte de la cuisine, sans doute un nid d'oiseau, mais il a été renvoyé à plus tard d'effacer ce désagrément.

Après avoir tourné trois pages d'un calendrier de musée, *Un homme tout seul* de Jean-Paul Lemieux, *Scène de rue vue de l'intérieur* d'Adrien Hébert et un *Sans titre* de Jean-Paul Riopelle, pour enfin rattraper avril sous la forme de l'*Icare* d'Alfred Pellan, requis par mon faible, je me suis réinstallé à table pour grignoter en surveillant la porte de la chambre, s'agissant de vérifier qu'elle laissait toujours couler sa lumière jaune sur le parquet à coupe perdue.

Une chaîne américaine présentait en première mondiale un suspense érotique qui a fait courir les foules l'an dernier ou l'autre d'avant, mais je n'ai jamais assez vécu sous les secousses de la mode pour céder à une pareille invite ; j'ai plutôt regardé, sur la télé noir et blanc de la cuisine, un documentaire sur le Cirque du Soleil et fumé une pipée de tabac en poudre aromatisé d'écorce de saule et de pavot.

Durant l'émission, comme le Mathématicien ne se présentait toujours pas pour la collation, je suis sorti à trois reprises dans la cour arrière tourmentée par les vents et me suis installé à l'abri, si l'on peut dire, des rameaux bourgeonneux d'un chèvrefeuille pour l'épier par la fenêtre du studio. Dès la première fois, il se tenait debout face au pupitre comme s'il étudiait le plan du quartier, la deuxième fois de même, l'attitude méditative n'avait pas changé. Ça n'a pas été long qu'il n'y a presque plus rien eu dans les plats de service ; je suis ainsi fait, capable d'abstinence, mais d'aucune modération ; quand l'anxiété me prend, je mange en glouton, mal si possible, du fast-food, des litres de crème glacée, tout pour prêter un faux sens à cette agitation et pour ne rien savoir de ce qui l'a provoquée.

Je suis retourné une dernière fois derrière le chèvrefeuille guetter le visiteur, mais encore là, Desnombres semblait n'avoir pas modifié sa pose d'un iota, qui se trouvait dans la même posture rigide, selon toute apparence saisi par un spectacle, comme en arrêt sur image. Quand j'ai senti que le vent commençait de me souffler qu'on est très peu de chose dans le froid cosmos, je suis rentré glousser sous mon aile. J'ai éteint les néons de la cuisine en me disant que cet étrange comportement ne me concernait pas et que, de toute façon, il n'y avait plus rien à manger. S'il était sur le moment sorti de la chambre, j'aurais été pris de court, c'est le moins que l'on puisse dire.

Je suis passé au salon syntoniser une chaîne de télévision dont les émissions étaient terminées, pour la raison qu'il m'est aujourd'hui venu à l'esprit d'ajouter ce grésillement à mon grand ouvrage en préparation depuis une huitaine d'années, une encyclopédie en édition informatique des bruits quotidiens en Occident. Une fois installé le Nagra, ce magnéto portatif à ruban que j'ai toujours à portée de la main, fixé le micro sur son pied, réglé le niveau et lancé l'enregistrement en douceur à l'aide de la fonction pause, ne restait qu'à tirer de la scène un polaroïd au bas duquel j'allais inscrire au feutre un numéro de code que j'ai ensuite lu à haute voix, suivi des mentions : *télévision / nuit / insomnie / pétillement.*

Impossible de saisir ce qui me fait pédaler sur le fin lignage de feuillets pliés, agrafés, assemblés en cahier d'écolier, plutôt que dans le suaire de feuilles volantes, suivant ma pente habituelle, ni ce qui me contraint à visser les détails de la visite de Desnombres, pour l'instant sans portée, et encore moins ce qui m'assujettit au principe de sincérité, une sincérité sans innocence ni conviction, qui s'impose dès lors que j'ouvre le cahier pour témoigner de prises de connaissance de la réalité. Je peux juste dire que j'aime à m'imaginer dans la posture de Christophe

Colomb qui, s'embarquant à Palos sur la *Santa María,* veut rapporter la nuit ce qui advient le jour et le jour ce qui arrive la nuit.

Tout à l'heure, comme presque tous les soirs depuis l'adolescence — comme ça, j'ai pu dire sans mentir à mes confesseurs que je ne me touchais pas —, j'ai fait rebondir ma bandaison un peu partout dans la maison, me suis heurté le manche de pelle aux meubles et aux cadres de portes et laissé étourdir comme une boule de billard électrique, jusqu'à exploser après une dernière frappe du comble contre la télé.

Le moment est presque venu d'annoncer le premier quart de nuit en soufflant des trilles et des notes enflés dans le sifflet de marine cuivré que j'ai eu de tout temps accroché au cou, qui doit donc me venir d'un certain marin, après avoir ricoché dans les mains d'une certaine Montagnaise. Ce sifflet me sert aussi bien de médaille ou de scapulaire que de signe distinctif pour le jour où je croiserai ce marin, mais d'ici là, je me contente de laisser faire la vie et son système de reprises en boucles qui me remet sans cesse dans mes propres pas, comme l'équilibriste sur son fil de fer.

J'ai mis de côté un nouveau cahier pour demain, si demain il doit y avoir, un carnet plutôt, à la pliure bombante, le genre à gonfler la poche de chemise. Faudra, si je continue ce marathon, que je réduise mon écriture à des proportions plus sensées.

Je cède presque à l'engourdissement du sommeil sous la lumière crépitante de l'écran enneigé, ravi d'inquiétude comme un bébé. Je fais jouer une bande composée de marches destinées à la parade de cirque, et j'ai placé en réserve, pour le second quart de nuit, des duels au chant inuits et un florilège de chants cris et naskapis, car je ne dors jamais ni dans le noir ni dans le silence.

Voilà. Sifflet de marine au bec, et sifflement de ruse. Psi-îîît…

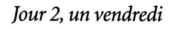

Jour 2, un vendredi

DICTÉE 3

Où, à trop se figurer les choses à travers son instinct d'identité,
Gésu Retard se verra une fois de plus borné à sa seule dimension

Après avoir enregistré l'opération de renouvellement du
rouleau de papier de toilette, sous les mentions *hygiène / salle de*
bains / papier / remplacement, j'ai préparé un petit-déjeuner en
écoutant *Trombone Blues, Miss Trombone* et d'autres pièces
légères dans lesquelles l'instrument à coulisse maintient une
présence de choix et qui accompagnent en règle générale les
numéros de clowns. C'est un de ces matins où la matière rous-
pète et me fait des misères, où les ustensiles fuient par terre et
les cadres de portes me déboîtent l'épaule.

J'ai tambouriné à la porte du studio et claironné « Le
petit-déjeuner est servi ! » Comme l'appel restait sans réponse et que la porte semblait verrouillée de l'intérieur, je
suis retourné dans le vent pressé, qui a bien des ailes ce matin,

épier par la fenêtre, mais cette fois sans me dissimuler derrière les bourgeons.

Il n'y avait personne dans la chambre, mis à part les mannequins porteurs d'écouteurs et du magnétophone à bandoulière, et la fenêtre à guillotine béait. Le Mathématicien était déjà parti, laissant derrière lui, étalés sur le pupitre d'écolier, des effets personnels, quelques livres, son sac de tapisserie, et sur le lit, quelques harmonicas — ou ruine-babines, selon la musique que ces instruments sont appelés à jouer —, six ou sept en tout, abandonnés pêle-mêle. Le congrès, faut-il conclure, devait commencer de très bonne heure, et l'invité, poli à l'excès, a dû sortir par la fenêtre pour ne pas me réveiller.

Ça se voyait que le sac de couchage n'avait pas été déficelé ; à quelques détails près, la pièce apparaissait dans le sens de son esprit habituel, et il semblait qu'elle n'avait pas été habitée durant la nuit. Or, comme la lampe était toujours allumée et braquée sur le plan détaillé du Plateau Mont-Royal, je suis rentré par la fenêtre, et comme j'allais éteindre la lumière, quelque chose d'inhabituel s'est manifesté à la périphérie de mon champ de vision : quelques traits irréguliers, vers le centre supérieur du plan mural, qu'on aurait dits tracés au marqueur, des bouts de lignes éparpillées, en fait, et qui ne se recoupaient pas, comme si quelqu'un avait pris des notes sur une feuille posée sur la représentation à grande échelle du Plateau et que l'encre avait traversé par endroits le papier pour laisser des traces sur le plan, ou peut-être ces marques indiquaient-elles des lieux de rendez-vous ou des bouts d'itinéraires que le Mathématicien entendait explorer, des coins du quartier où il avait en tête de fureter. M'enfin, il aurait quand même pu montrer un peu de respect pour ce petit bien précieux qui ne lui appartenait pas !

À cette heure, une lueur incertaine, presque froide, accueillait le soleil d'hier et prolongeait l'éphémère. À peine plus inadapté que bien d'autres, je suis parti vers mon lieu de travail à vélo, comme d'habitude. Une heure avant l'heure, j'ai traversé un vent à remplir les têtes vides et suis allé prendre une eau de vaisselle qu'ils appellent café à La Panse vorace, un restaurant surtout fréquenté par un ramas de cols blancs du Plateau, de magasiniers, de mécaniciens et de livreurs, des Plateausiens, comme j'aime à les surnommer, qui lisent le journal en commençant par les informations sportives, donc par la fin. Par une sorte de mimétisme plus ou moins conscient, j'ai fait de même avec un traité de sonométrie publié par le Massachusetts Institute of Technology, mais ç'a plutôt compliqué ma lecture. Pas grave, de toute manière, je n'y comprenais rien.

Mais qu'en aparté je dise l'événement minuscule qui m'est tombé là sur le paletot et qui me semble dans le registre médium du lieu. Pour en saisir la portée, d'un dérisoire fondamental, il faut avoir au moins mille fois dans sa vie examiné de près un tel extrait de foule encore ronflante, semblable à ce que l'on voit partout le matin, des solitaires mis en tas qui font un hoquet de crécelle, qui ont le nez humide de ces chiens qui aiment par-dessus tout l'odeur du bacon et qui entretiennent une passion raide et simple pour les jeux, sports et loteries, ce qui les rend aussi vulnérables qu'insatiables. Ces râleurs du matin, d'ambition plutôt lasse, se rongeaient les poings à cause du match de la veille, il semblait même que leur petit univers se précipitait en chaos. Moi qui suis chargé jusqu'à la gueule d'un ressentiment tenace contre tout ce qui se rapporte aux poubelles charitables de la ville de Québec, pour la raison que l'on devine, j'étais de tout cœur avec ces Montréalais malcontents pour qui la victoire des Bleus de Québec décuplait l'effet dévastateur de la défaite du Bleu-Blanc-Rouge de Montréal — la Sainte-Flanelle, comme disent ceux qui se shootent au hockey.

Un militaire à la retraite, lecteur de revues sérieuses, camouflé derrière une fougère, a trompeté du fond de la salle : « Québec est la capitale, Montréal a le capital ! » Un intellectuel qui traînait par là, repérable à l'hostilité du précédent et au dictionnaire qu'il conserve en tout temps ouvert dans sa bajoue, ce qui complique joliment sa parole, a ironisé sur cette perception : « Un capital d'emprunt, oui ! en valeurs de crédits de chômage et de faillites-actions ! », puis, comme pour effacer un persiflage échappé ou juste pour faire l'intéressant, il a raconté qu'au dix-huitième siècle les gens de Québec traitaient les Montréalais de Loups parce qu'ils commerçaient avec les Amérindiens et que ces Montréalais qualifiaient en retour de Moutons ces gens de Québec qui revendaient aux Européens et qui par conséquent montraient plus de manières de civilité qu'eux.

« Avez-vous lu les déclarations des Moutons dans le journal ? Ils ne changent pas », a lancé à la rigolade un retraité bronzé comme une orange, du genre à trembler d'avoir mal aux dents parce que son dentiste est en vacances en Floride, « même dans la victoire, ils crachent des injures sur notre équipe ! » Le cuisinier, un amateur de philosophaillerie reconnaissable à son pied de céleri, a proclamé que, même s'ils sont le cœur et l'âme de la Province, les Moutons de la capitale, ils n'ignorent pas que tout ce qui frétille hors leurs murs vit sous l'impulsion de Montréal… « ma crasseuse, ma pauvre, ma défigurée », ai-je chuchoté comme en aparté au milieu du vacarme.

Puis j'ai renchéri, oui moi, qui en ce lieu n'ai jamais élevé la voix plus haut que les ustensiles, en ajoutant que lorsqu'ils s'enflamment, les gens de la Vieille Capitale, eh bien qu'on se méfie, car ils sont capables de tout pour vous emberlificoter, même de baragouiner le chinois ou l'italien, et chacun sait qu'il n'y a pas grand-chose à comprendre quand une Québécoise d'adoption bredouille des invites en chinois pour gagner sa croûte rue du Sault-au-Matelot, et que de sa bouche dansante elle essaye de parodier une langue chantante, si ce n'est pas l'inverse. Bientôt, personne ne faisait plus attention à moi, comme si cette hurlée gênait. Cruel, mais j'ai l'habitude.

Pour détendre l'atmosphère, un fonctionnaire sur le retour, un hypocondriaque qui se tient le majeur planté en permanence dans le derrière pour sonder sa prostate, a clabaudé que c'était demain le deuxième match de la série et qu'on allait leur sacrer une volée, qu'on allait même bouffer du Mouton. « C'est ça, et si on gagne, on croira que la planète tourne mieux », ai-je persiflé si bas qu'encore là personne n'a entendu. Je suis un peureux qui a peur d'avoir peur, moi, il y a des réflexions que je ne peux lancer qu'à mi-voix, ou bien en me cachant dans l'ombre.

Une autre journée, donc, qui se disposait de cette façon curieuse qui empêche d'en être distrait. Par bonheur, j'avais enregistré le tintouin de cette animation bougonneuse ; à mettre sous les mentions : *sport / supporters / lendemain de défaite / récriminations.* Je suis sorti cadrer un polaroïd de la façade du restaurant, déçu de n'avoir pas la hardiesse de photographier les habitués dans leur attitude de contrariété. J'aurais aimé ajouter quelques remarques faisant référence aux grands univers intérieurs derrière nos petites surfaces, ou peut-être le contraire.

J'ai roulé à bicyclette jusqu'à Prince-Arthur, entre les caquetages latéraux de la vie privée, des frictions de vaisselle, des coups de chasse d'eau, des verbiages chuintants qui retombaient en poudre au milieu de la rue, parmi des Plateausarts défilant dans une tenue alambiquée que personne ne critique plus, des passants qui ne sont eux-mêmes ni la pire ni la meilleure chose qu'ils aient rencontrée, des clochards qui vivent une paume tournée vers le ciel, des graffiteurs anonymes qui cherchent un mur pour réfugier leurs rêves et leur rage, des vieux rivés aux fenêtres qui s'amusent d'un chien poursuivant, parmi les derniers résidus de neige sale, un cycliste casqué en aviateur, et à chacun son ange.

Je n'ai parlé à personne, crainte de rompre ma propre empathie ; les jours comme celui-là, où que j'aille, c'est comme si je portais en moi le cœur du troupeau. C'est ça, la vie intérieure, un lieu agité où les autres ne sont qu'évocations, fairevaloir ou dénonciateurs, tous saltimbanques d'un cirque qui met ma pantomime au centre du chapiteau sous les projecteurs du désir. Qui sait ? ça m'épuiserait peut-être moins d'investir mes rages dans les résultats sportifs plutôt que dans les rapports humains ; je pourrais m'intéresser aux championnats de bobsleigh, de planche à voile en salle ou de bilboquet.

Y a des jours où le sentiment du temps qui passe pèse trop lourd, faut dilater son expérience de vie. Les solutions varient selon l'imagination, l'audace et le portefeuille : quitter son travail, affronter un péril, multiplier les amours, attaquer un problème de maths, assister à un match de hockey, s'acheter un format familial de Pepsi avec un grand sac de chips ou n'importe quoi d'autre qui réveille les troubles gastriques et qui aiguise en soi le sens de l'infini. Moi, c'est par la vie pistée que je repousse ces horizons, la mienne ou celle d'un autre, ça varie, d'où sans doute cette curiosité pour le Mathématicien, récente certes, mais comme déjà essentielle.

J'ai d'abord profité de la pause du matin, et là d'un séjour prolongé aux chiottes, pour ajouter aux dictées d'hier des pans d'une écriture compacte dont je n'ai pas l'habitude.

Voilà.

DICTÉE 4

Où une circonstance en remuera d'autres qui l'ont précédée,
parmi les plus anciennes et les mieux enterrées
dans la caboche de Gésu Retard

La journée de travail s'est composée de reprises et de rengaines. Heureusement qu'il y a eu les mets chinois du midi et deux pauses pour me payer des ventrées de soleil parmi les Plateausaures du square Saint-Louis. Dans l'entassement de tant de répétition, on finit toujours par traverser des conditions propices à l'oubli de soi, et de fait, je n'avais alors en tête que cette affaire Desnombres. Je me sentais assujetti au désir d'épuiser l'énigme de cet homme dont je n'aurai même pas eu le temps d'aborder ne serait-ce que les contours. En introduisant le Mathématicien chez moi, je l'accueillais dans mon désordre, sans pour autant avoir accès au sien. Ma curiosité s'est ainsi souvent arrêtée, à différentes étapes de ma vie, juste avant que les choses ne deviennent compréhensibles.

Je suis rentré, après une journée qui m'a mis du mou dans la tête, sous la giration d'astres plutôt discrets, par des quartiers que j'ai assez pratiqués pour savoir si chaque fantôme s'y trouve à sa place et laisse bien mugir ses propres douleurs. Le soleil finissait de basculer derrière la montagne sans égard pour le piétinement morose des sorties de bureau; le vendredi soir palpitait déjà dans le Plateau. Une torpeur inassignable, sinon aux perturbations de l'air et des gens, m'engourdissait les lèvres et les doigts, alors j'ai déambulé à côté du vélo, tantôt la face tournée vers le ciel, comme s'il y avait lieu d'attendre de là le signe d'un monde meilleur, tantôt mimant la dégaine des Montréalais, au point d'en effaroucher certains. Ils peuvent bien se demander ce que c'est que ça! quand je déambule parmi eux dans ma raideur flâneuse.

Dans ces rues propices, personne ne m'a remarqué ni venir de loin ni disparaître sous la profusion mobile des érables et des peupliers. Je suis passé inaperçu, comme une absence, comme un fantôme! sauf peut-être à un carrefour tranquille où, comme pour compenser ma lâcheté du matin à La Panse vorace et pour mettre en émoi quelques fortunés de La Peau des fesses, un restaurant-bar-billard à la mode fréquenté par la phalange libéralo-nationaliste d'obédience BMW, j'ai exhalé un aboiement qui m'a gonflé le rentré des joues : « J'en sais rien si ma mère m'aimait ou pas! J'en sais rien… » Certains ont dû penser que je me soulageais d'une authentique plainte refoulée, séculaire, comme si j'imprimais dans l'espace un graffiti sonore.

Révolté dedans et tendre dehors pour certains, le contraire pour d'autres, on ne me perçoit jamais que dans l'à-peu-près, ne me comprend que par le quasi, ne me décrit que par le voyons-voir. J'ai vite renfourché la bicyclette et poursuivi ma route dans le froid sans me retourner, au cas où cette gueulée aurait laissé les promeneurs impassibles. Faut dire que le désintéressement à mon endroit atteint parfois jusqu'aux colibacilles des égouts, car la laideur me protège des virus qui ont bon goût. On ne détourne pas sans peine le cours d'une telle indifférence. Les jours où je ne peux nier que j'ai l'ironie pétulante, je me prends à regretter ce temps d'autrefois où l'on faisait dire à l'occasion une messe pour l'âme la plus abandonnée de la paroisse.

À la maison, force m'a été de constater que Washington Desnombres ne s'y trouvait pas et qu'aucun message n'avait été laissé ni sur la porte, ni sur la table de la cuisine, ni sur aucun mannequin ; j'ai donc dû retourner dans le studio vérifier si les objets laissés en friche sur le pupitre n'avaient pas été récupérés ou déplacés, mais rien n'indiquait que le Mathématicien était repassé par ici. La fenêtre était restée entrouverte durant la journée, mais tout semblait en place dans la maison, ce qui, dans le Plateau Mont-Royal et autour, ne peut dépendre que d'un très favorable alignement de planètes.

Comme plus tôt ce matin, c'est au moment de ressortir du studio que la chose m'a frappé : les lignes, sur le plan, j'aurais juré qu'elles s'étaient, comment dire ? multipliées, ou peut-être allongées, comme si Washington Desnombres était revenu au cours de la journée augmenter ces tracés qui ressemblaient moins à une trame dessinée qu'à une calligraphie. On aurait dit qu'une écriture cursive voulait amplifier sa formation sous cette nuée de points, de lignes et de taches. Pourtant, Desnombres ne pouvait être repassé à la maison pour n'ajouter que si peu à ces inscriptions ! Et pourquoi aurait-il encore une fois tout laissé derrière lui ? J'ai plutôt incriminé ma propre mémoire ; après tout, ces marques, je ne les avais pas scrutées la première fois.

J'ai commencé à préparer un repas plutôt léger. En faisant bouillir des œufs à la coque, s'est confirmé qu'un nid d'oiseau obstruait le tuyau d'échappement de la hotte de la cuisine, ça clappait dur quand je faisais démarrer le ventilateur. Dehors, j'ai trouvé cassés des œufs d'un blanc verdâtre tachetés de points gris et bruns, aussi un oisillon mal plumé mort devant la sortie d'air et autour duquel s'étalaient des tiges bleuâtres de cette renouée des oiseaux dont les petites fleurs, en saison, sont roses à l'aisselle des feuilles, comme celle qu'on trouvait autrefois chez les sœurs de la Charité de Québec, en bordure des sentiers piétinés du jardin et dans les fentes du trottoir que foulaient les visiteurs des autres…

Mais j'invente ces détails, il me semble, car, bien loin que j'aie des images si précises, je demeure à peu près sans souvenirs d'enfance ; comme si j'étais venu au monde à l'âge adulte. Il me faut d'ailleurs — dernier de mes avatars ! — faire le père Noël dans un centre commercial, pendant le temps des fêtes, pour tenir un peu sur moi, à défaut d'en moi-même, quelques échantillons du bas âge. Des pans complets du temps d'alors se sont abîmés dans l'oubli. J'ai beau faire du vent, ça ne soulève aucune réminiscence durable, à peine quelques figures errantes sous le voile, la voilette ou la grand-voile. L'imagination, elle, ne manque pas.

Il m'a fallu jeune récupérer ce manque de mémoire et façonner une philosophie — sincère par nécessité — par laquelle je m'impose de vivre dans l'instant, comme indifférent au passé détaché et au futur détachable, bien qu'intellectuellement je sache qu'au cœur de l'événement, de la circonstance, grouillent et s'embrouillent tous les temps : du passé, du futur ; et tous les modes : de l'indicatif, du plus-qu'imparfait. Le mystère Desnombres n'est-il pas justement rendu présent par l'impératif d'une disparition passée, soit-elle récente, et par le conditionnel espoir que demain la comblera, sans tout quoi il n'y aurait plus matière à raconter ?... Mais je n'en démords pas : par un atavisme dont l'étymon m'échappe, ou par l'effet d'un mécanisme de défense, qui sait ? j'apparais et suis de ceux qui tiennent constamment l'œil penché en coin sur cet amalgame diffus que composent le passé très immédiat et l'avenir tout ce qu'il y a de plus imminent, et qu'on appelle présent par commodité. Je suis un être du tout-juste-ici et du quasi-maintenant, alors qu'on n'aille pas me confondre avec ces toqués qui, dans leur tête comme à la ville, à pied, à vélo ou en auto — je n'en conduis pas —, épient sans relâche loin derrière eux, jusqu'à ressembler à ces figures égyptiennes qui ont le cou étiré et le regard en permanence tourné vers là où ils étaient jadis et naguère.

Un moineau femelle à bec brun foncé, frustré dans son désir de revenir au nid, a exécuté des vols effrénés au-dessus de ma tête en produisant un tapage d'ailes et des babils enroués, tandis que je creusais un trou avec mon talon pour enterrer l'oisillon. Ce petit sac d'inexistence dans sa gerbe rampante, on aurait dit une interpellation. Valait mieux renvoyer à plus tard le nettoyage du tuyau ; après tout, pour que demain soit fait de quelque chose, faut bien lui laisser matière à se composer une journée.

J'ai attendu la Tête d'obus devant une bouteille de rouge qui n'a pas cessé de baisser de niveau, jusqu'au moment où ça s'est mis à ouillouiller de plaisir, à l'étage, et à braire le fondement de ses délices. Deux soirs sur trois, le tatoué du dessus, celui qui porte à la saignée du bras une tête d'éléphant à la trompe relevée, reçoit une blonde de type sportif, plus jeune que lui et moi, toujours la même, lui décroise les jambes et tombe dedans… Pris d'une émotion suffocante, comme si une chape de tristesse avait fondu sur moi — pourquoi? je n'en sais rien, je n'ai pas avalé Freud par cœur —, j'ai lancé une opération spek. J'ai épié la banalité coutumière, comme c'est prescrit par l'esprit spek, autour de moi d'abord, ensuite en moi-même, jusque vers le milieu de la soirée, et au bout du compte, toujours fidèle à la règle, j'ai résumé l'observation d'un tronçon de vie plutôt quelconque dans un procès-verbal ne dépassant pas trois lignes, sous la forme métrique du haïku japonais :

> *Sous ses bleus piaillés,*
> *un blanc-bec étend sa nuit*
> *et s'enfance en elle.*

Pour brouiller les pistes, je suis allé jeter, dans une boîte aux lettres d'un quartier voisin, des transcriptions non signées adressées à des inconnus qui ne seront jamais pour moi que des pseudonymes et à d'autres membres du réseau Spek que le hasard ou leur curiosité m'a fait rencontrer, tantôt contre mon gré, tantôt pas. Je n'ai gardé copie de rien, ni des quelques pages expurgées à l'extrême et surtout pas du procès-verbal lui-même.

Je crains d'être un quasi-pur et un presque dur du mouvement Spek, moi qui exècre toutes les prétentions à la pureté et à la rectitude, issues d'un même manque d'imagination et de la même incapacité d'aller au-delà de soi par le ressenti. J'observe, contemple — c'est inscrit dans la racine indo-européenne du mot « spek » —, puis témoigne courtement et oublie tout ça sans rien conserver. J'ignore si tous les autres du réseau font de même, mais c'est ce qui est convenu, c'est du moins ce que m'a enseigné mon initiateur, le compagnon des quatre cents coups, le poète Tino Mongras, celui qui n'a jamais mis au sol le genou qui renonce — l'autre parfois —, l'auteur de *L'Ode au sein odo-*

rant, du *Graffiteur hurle* et de *Batêche de ruine-babines,* qui m'arracherait la gueule, le cœur et le cerveau s'il m'entendait enregistrer un haïku spek et en exposer le contexte.

Dans une ruelle de retour, j'ai été choqué par l'abandon, parmi les rebuts d'une boutique de mode, d'un mannequin à peine balafré, les bras contusionnés, les pieds mutilés. J'ai rescapé de justesse cette figure malgré tout hors d'expression, alors que le raffut machinal du camion des éboueurs menaçait, et l'ai portée avec dignité sur les poignées de la bicyclette. Fallait nous voir rouler comme des frères, désinvoltes et arrogants, indifférents aux quolibets des sorties de théâtre...

À la maison, j'ai accoutré le nouvel ami d'un imperméable, d'un parapluie, de bottines. Le vêtement et l'accessoire transforment le mannequin, qui devient alors comme quelqu'un. Rien de plus déconcertant que de traînasser parmi les mannequins comme s'ils étaient des êtres vivants ; ça convie à mesurer ce qui nous différencie, certes, mais surtout ce qui nous rapproche. L'émotion peut surgir à côtoyer aussi bien le trop peu que le trop plein, on ne le dit pas assez, ça.

À dix heures, la bouteille bue toute, j'ai un temps fait chuchoter le bâton de pluie chilien, un bambou de cinq pieds rempli de graines et qui simule le murmure d'une pluie tranquillisante lorsqu'on le retourne comme un sablier, puis je me suis rappelé qu'aux séances de congrès, il s'ensuit d'habitude des repas interminables. Vers onze heures, j'ai téléphoné à un ancien collègue de la section des maths, qui m'a adressé à un prof d'université participant sans doute au congrès, celui-là m'a renvoyé à un organisateur, ainsi de suite. Tous connaissent Washington Desnombres, au moins de réputation, ses livres de métaphysique inspirés des théories des catastrophes ou des corps cumulatifs, son *Que sais-je?* sur l'histoire des mathématiques arabes et orientales, et surtout son ouvrage critique sur la théorie constructiviste, qui rencontre tant de lecteurs, mais personne ne l'a vu à Montréal. On l'attend toujours au colloque, qui se terminera demain. De fait, il ne s'est pas présenté, ce matin, à l'heure de sa propre conférence sur « L'émergence des concepts analytiques chez Omar Iben Ibrahim el-Khaiami et Sharaf Al-Din Al-Tusi, mathématiciens arabes des XIe et XIIe siècles ». Washington Desnombres est encore inscrit au programme de demain, où il doit donner, à midi pile, une communication de fermeture intitulée « La pensée imaginante sous l'empire du dispositif mathématique ». Sans doute y sera-t-il, cette fois.

Tantôt, je suis retourné au cirque et au galop de *Circus Echoes*. Il n'y a pour moi que cette musique, qui n'est pourtant pas qu'une passion dérivative, pour effacer le charivari du vent. Je ne vois pas que je puisse jamais sortir, vraiment jamais, de cette répétition, ni d'aucune autre d'ailleurs, c'est une mélancolie. Je suis pareil dans tout ce que j'entreprends et fais sans cesse les mêmes choses pour rester justement le même, toujours, à défaut de revenir à ce que j'ai dû être déjà. Rendez-vous raté avec l'âge adulte... Comme tous les autres soirs, j'ai fait le derviche cogneur, avant d'aller m'écraser, sous le coup d'un épuisement mouillé, au pied d'un classeur ignifuge.

Passé la minuit, le Mathématicien n'ayant toujours pas reparu, je me suis installé pour dormir dans le hamac de la chambre, sous l'éclairage d'une lampe sur pied dont l'abat-jour imite une tapisserie d'Aubusson. C'est là, dans le roulis et dans la musique de cirque, que je viens d'éprouver, cette fois par l'émotion, comme le mystère Desnombres me tourmente, au point de me soumettre à une dépendance. Je ne cesse de me répéter que le convive a disparu, quasi convaincu par ma propre spontanéité. Cette tête d'obus de Chicago, ce fort en maths des Îles s'est évaporé, il m'a fait faux bond aussitôt débarqué, l'animal! Il m'impose un désir, un seul, mais fort : d'annuler sa perte. Depuis hier soir, ma tranquillité s'éperd en attentes, un rien m'habite et me brise. Et qui est-il au juste, celui-là? un amalgame d'os et d'orifices, comme disent les Chinois, dans l'assemblage desquels vit un Chicagouin d'adoption qui, pour un temps, porte un nom et blasphème dans son créole maternel? C'est pas plus que Gésu Retard, ça!

Il me revient que jusqu'à un jeune âge imprécisable, puisque l'enfance est une éponge séchée dans la nuit des tableaux noirs, j'ai été fort en maths, puis, d'une année scolaire à l'autre, même d'un jour à l'autre, en une minute, cette passion s'est perdue, je n'ai plus voulu m'enfiévrer que pour un autre langage, ma langue de rue, harcelée, ébréchée, méprisée jusque par des faux frères de ma propre patrie. Du coup, je n'ai plus rien compris aux tartes à diviser entre les membres d'une famille, moins le père absent, à ces histoires de trains partant l'un de Montréal, l'autre de Québec, qui entrent en collision en un lieu à déterminer par le calcul. Je n'ai plus pu admettre la division ni souscrire à la multiplication. Le temps d'un peu de catéchisme, d'apprendre à lire, à compter et à se sauver par les ruelles le mauvais coup accompli, et l'adolescence m'était arrachée… Mais allez donc savoir si ces souvenirs, je les ai fabriqués de toutes pièces ou reçus en confidence des sœurs de la Charité.

Dehors, l'espace court d'ouest en est de vive force et fait gigoter en moi une anxiété tenace comme un fœtus qui refuse de décrocher. Cette angoisse de perte, je ne vois pas trop ce qu'elle me veut ; je sais cependant que c'est ressenti depuis que je suis au monde, ou disons depuis les détritus des sœurs de la Charité. Il se peut que je dicte ici sous le manteau de confession pour découvrir ce que j'en sais à mon insu.

J'ai mis à côté du grand magnétophone une bobine de chants traditionnels corses et des reels irlandais pour quand le silence m'arrachera au sommeil. Et pour la suite de demain, qui pourrait se faire interminable, un cahier quadrillé et un stylo bille d'Hep Taxi!

J'entreprendrai tout à l'heure, le bras sur le front, de voler au premier quart de nuit des heures de cauchemars, certain que ça sera à remettre aussitôt et, qui sait? peut-être sous la même forme. En attendant, je trace du doigt, à répétition dans le vide au-dessus de moi, des petits bonshommes liés comme dans une ronde universelle, tout à fait conscient que, chez les Inuits, le pictogramme figurant un homme a valeur de signe de détresse.

Voilà. Sifflet de cuivre en gueule, et sifflement de frayeurs.

Psi-îîît…

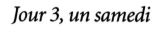

Jour 3, un samedi

DICTÉE 5

Où le tumulte de Gésu Retard ne retombera
que sur lui-même

Quand le téléphone a de nouveau sonné, il était un peu
passé dix heures, je faisais jouer à répétition *Kentucky Sunrise,*
un two-steps familier aux funambules, et simulais, entre deux
mannequins, la foule sportive faisant la vague. Je me suis précipité sur l'appareil, persuadé que ça ne pouvait être que
Washington Desnombres qui enfin se rapportait ; c'était plutôt
Monsieur MacBos, le président-emmerdeur général d'Hep
Taxi ! qui me donne du travail du vendredi au dimanche et les
jours fériés, payé sous la table, ça va de soi, un cerveau bancal
qui penche toujours côté argent, un inquiet qui se tape sur
les cuisses pour faire tinter ses trousseaux de clés et sa monnaie, qui, en politicien qui fait le décompte de ses sueurs passées
et de ses votes à venir, s'indignait que je n'aie laissé qu'un mot

laconique sur son bureau, hier, pour le prévenir que je ne rentrais pas travailler du week-end. C'était difficile de remplacer un répartiteur et le samedi et le dimanche; il devrait sans doute faire le travail lui-même ou partager la tâche avec son vieux père fondateur.

Non, je ne savais pas si cette absence se prolongerait, peut-être pas, du moins pas au-delà de mes journées habituelles de congé, soit du lundi au jeudi. De motif, il n'y en avait pas vraiment, du moins qui se dise comme ça, avec des mots simples. Non, je ne me croyais pas malade et mon entourage ne se portait pas mal pour la raison que je n'étais entouré de personne, mais ça n'aurait servi à rien de le préciser, et non, je ne souffrais pas plus que d'autres du côté de la bosse du pantalon ni du désert de l'âme. Les questions, plutôt longues, venaient en formation de combat; les réponses, évasives, tenaient en deux mots dans les meilleurs cas, ce qui ajoutait à l'exaspération du MacBos. Ç'a duré jusqu'à ce qu'il s'étouffe en avalant de travers sa salive entrelardée d'une flopée de blasphèmes. Ce genre de scène diffuse chaque fois ses effets dans toute ma personne et pousse à croître chez moi cette nonchalance affairée qui, dit-on, me caractérise. Il faut préciser que ç'a toujours du plaisir à être ressenti.

Tout d'un coup plein d'ardeur et songeant davantage à la santé des oisillons qu'à la stagnation des odeurs de cuisine, j'ai entrepris d'extraire le nid de moineau du tuyau d'échappement de la hotte. Ça n'a pas été facile de sortir de là ce tas de brindilles et de débris divers qui déficelait au fur et à mesure sa composition, encore moins de transborder les trois oisillons toujours vivants, ces pincées de vie aux yeux saillants, aux pattes et aux ailes désarticulées, chauds comme des mitaines de cuisine, l'embouchure prête à avaler le ciel. Durant l'opération, une volée de moineaux n'a pas cessé de pépier et de virevolter au-dessus de la scène. J'ai tant bien que mal réaménagé le nid dans un carton et l'ai fixé d'un clou à large tête au poteau de corde à linge, à deux mètres du sol. Après un délai pour reconnaître ses petits, la mère les a rassurés, avant de lancer à la ronde des tchissiques auxquels personne n'osait répondre, puis, multipliant les décollages bruyants et les vols planés à ras le sol, elle a recommencé d'alimenter ses oisillons d'insectes ou de graines.

Je n'ai pas musé longtemps sur les lieux de la bonne action, il suffisait à ma curiosité que la nature ait repris son cours habituel. Je suis retourné dans le studio remuer les effets personnels de Washington Desnombres, les ai même répertoriés sur un calepin. J'ai cueilli au hasard deux livres et un carnet dans la valise de tapisserie du Mathématicien, les ai glissés dans un sac à dos avec la Toblerone et le programme du congrès, sur lequel figurait une liste de noms, dont celui de Washington Desnombres, sous la barre d'un monumental radical embossé et enluminé d'or, et je me suis installé devant le plan du quartier, autrefois volé dans le hall d'Hep Taxi! dans une position semblable à celle du Mathématicien le soir de son arrivée, comme s'il fallait reprendre le fil à partir de là où les événements avaient commencé de m'échapper. J'aurais voulu accroître le doute et amplifier le mystère dans mon esprit que je n'aurais pas agi d'une autre façon. Ça n'était pas grave en soi, au contraire, car il n'y a jamais que l'embarras et l'obscur, justement, pour me mettre en branle.

Je n'ai pas senti que ce plan dont j'étais familier allait, du moins pour le moment, me laisser quelque impression éclairante; le temps m'a même paru long à dévisager cette représentation d'un extrait de l'Île. À cette distance, un mètre environ, et sous des lunettes un peu en retard sur ma myopie, cet agrandissement de piètre qualité n'était qu'un fouillis de lignes, et d'un peu plus loin, une grisaille. Seuls objets de préoccupation, il m'a paru que les traits avaient de nouveau pris de l'expansion, se liaient davantage pour former la base d'une écriture, mais toujours pas des mots ou même des lettres déchiffrables; on devinait juste la présence de trois ou quatre lignes d'un script proche de la cursive hiératique mésopotamienne ou encore du délié arabe ou du grec ligaturé.

Là encore, j'ai reproduit le plus fidèlement possible, cette fois sur une carte pliante de Montréal, l'ébauche d'épigraphe tracée sur le plan mural, qui semblait vouloir recouvrir et par le fait même désigner un espace urbain que j'étais décidé à parcourir ce jour même. Ce territoire, pour l'instant, tenait dans des limites dessinées par la voie de chemin de fer au nord et à l'est, la rue Rachel au sud et Saint-Denis, ma propre rue, à l'ouest. Il s'agirait donc d'arpenter ce secteur dès après avoir été me renseigner au lieu du congrès, si, bien sûr, Washington Desnombres ne s'y trouvait pas… Ce fragment de ville me convenait assez, pour la raison que j'habite et ne fréquente que les quartiers de briques et de pierres; le béton et le verre des rues congestionnées du centre m'arrachent toute patience, et je ne saurais affronter la banlieue, à cause du cafard que ça me foutrait, ou certaines zones périphériques, because la trouille qui me fouille.

Les Nagra, polaroïd et cahier quadrillé fourrés dans le sac à dos, avec le ciré de pêcheur et la bouteille d'eau, je suis sorti par l'arrière, la bicyclette sur l'épaule. Il n'est pas de meilleures randonnées que lorsque je commence par battre les ruelles, là où la tranquillité a son revers, suscitée par elle-même, ça va de soi. Je suis, dans ces ruelles, comme un chien qui erre parce que la pluie a effacé les odeurs, affairé, inquiet, mais en quête de commotions et de serrements de cœur. Une fois longé le haut mur maçonné du cloître des carmélites, cette barrière de pierre grise qui provoque chez le promeneur l'impression d'être tenu à l'écart d'une vie secrète, c'est au croisement de l'avenue du Carmel — ces choses n'arrivent qu'à des carrefours — qu'un camion de livraison est passé près de me renverser. Le tronçon de ruelle parcouru, donc, je me suis mis dans une perspective roulante pour m'engager dans un dédale de rues en direction du Quartier latin et de l'Université du Québec, ai pédalé de rue en avenue, de façade de maison en devanture de commerce, de vieillard en gamin, et plus près de l'université, de bar en café. Plus je prospectais ce remous bourdonnant, plus se confirmait qu'il m'en restait à voir et à entendre, et plus s'éprouvait qu'à l'évidence m'était mieux connue la matérialité de la ville, ses façades et ses adresses, métier oblige, que son humaine turbulence. Pas toujours facile de s'attarder à l'invisible derrière le visible.

À l'université, revêtu de la seule splendeur de mon détachement, me suis faufilé, bicyclette au flanc, par la façade de l'ancienne cathédrale Saint-Jacques, en passant sous le clocher qui, pour une autre circonstance dont je devais profiter par hasard, a fait vibrer ses cloches. Sans doute l'angélus du savoir… Les rambardes de béton portaient chacune un graffiti. D'un côté : *Le clown est triste en calvaire!* Je me demande si c'est pas moi qui l'ai écrit, celui-là… De l'autre : *Rendez-vous au coin de l'impossible.* Un nouveau théorème pour penseurs déjantés, j'imagine.

L'université porte en elle les quatre dieux de la science, mais comme on dit dans le Quartier chinois, quand on y fait irruption, on ne les perçoit pas. Une fois poussée la tonne de chaque porte, ç'a aussitôt été la dérive dans les corridors. Un peu partout, des jeunes à la mine d'habitués, qui parlent un assez joli joual d'élite, dont certains n'ont que de la poussière et un blouson de cuir sur les os, s'engageaient sans hésitation, sac au dos et mains en poches, dans des corridors ou des ascenseurs, inattentifs à ce lieu par trop familier et d'un triste! Certains semblaient ramper sous une masse qui les faisait ployer, d'autres, se tenir en équilibre sur un fil de fer au-dessus d'une béance. Ça se sentait que rien là ne conspirait à mon avantage. J'ai été intercepté, à la porte de la salle AM-050, par un parfait petit col roulé, un étudiant zélé discernable à la calculatrice qui lui sert de langue. Je n'arborais pas le macaron des congressistes et ne pouvais entrer, surtout pas la bicyclette sur l'épaule. Il dardait sur moi son air de soupçonneur en formation. Puisqu'il fallait fabriquer quelque chose de plausible, j'ai prétexté un message urgent à transmettre à Washington Desnombres de la part de… sa femme, tiens! L'étudiant a recouru à la sagesse d'un organisateur en décrivant un type louche, un bossu de la fourche, qui se disait porteur d'un message pour Washington Desnombres. Ah! mais c'est que le Mathématicien était toujours absent du colloque, sa conférence de clôture avait même été annulée, quelqu'un improvisait au lieu une communication intitulée « Le dispositif mathématique comme analogue opérationnel des modifications factuelles calculées », ou quelque chose de plus abscons encore. Paraît que ça s'improvise, ce genre de chose, et que ça grise les plus exaltés.

Tant de gens à l'air intelligent pavoisaient, entre la bibliothèque et la salle de conférences, autour d'une sculpture moulante solidement taraudée, que je me suis senti abandonné, gorgé d'angoisse comme dans une librairie trop pleine de livres écrits par n'importe qui sauf moi. Ça m'a fait frôler la défaillance que de m'apercevoir parmi des gens qui développent des modèles de compréhension du monde d'autant plus extravagants que la réalité leur est plus insaisissable.

Tout près, un ressortissant de la conférence s'amusait à raconter à qui voulait l'entendre qu'à l'intérieur trois vieux loustics sécrétaient de la jubilation en écoutant les yeux au plafond, tandis que ceux à qui il restait davantage de jeunesse bayaient aux corneilles ou s'amusaient du faciès obséquieux du conférencier. Un autre a lancé : « C'est encore Desnombres qui est le mieux, dans tout ça !

— Ouais, a fait un troisième, il doit dormir sur un banc de parc, abrité sous un journal, se reposant de sa nuit d'harmonica dans les bars de jazz avec des p'tits gars... »

Au moment de partir, il n'a pas été nécessaire de penser à remonter mes pas, deux gardiens de sécurité, la baïonnette sur l'oreille en prévision du jour où l'armée les appellera, sont venus m'informer que je n'étais pas là à ma place, ce qui n'était pas sans fondement, et m'ont expulsé manu militari. À la porte des grands, dit un proverbe gaélique, le seuil est glissant... L'un roulait des hanches à l'antillaise, l'autre les *r* à la montréalaise. Instruits de leur description de tâche, qui est de couper le dedans du dehors et de veiller à ce qu'aucun indésirable ne s'infiltre et que l'appareillage du proprio reste bien intra-muros, ils m'ont harponné aux épaules et m'ont refoulé vers la sortie de secours la plus proche, comme le dompteur qui retourne les lions à leur cage.

C'est comme ça, on n'y peut rien, j'ai l'air inoffensif mais offensant. Si l'enregistrement n'était pas trop souillé par le grouillement du micro accroché à l'encolure de ma veste, ça serait mis sous les mentions : *université / cycliste / indésirable / expulsion.*

Aux abords du trottoir, tout maigrelet que je sois, je leur ai flanqué un coup de pied à l'un, de coude à l'autre, et la peste aux deux, puis j'ai fait un polaroïd de ces dévoués cerbères, les mains sur les hanches, les jambes écarquillées, qui obstruaient l'accès à l'université. On devrait y voir qu'ils ont chacun une tranchée qui pend de l'œil et tombe vers une bouche menaçante. Ils ont suggéré à grands cris que j'aille me faire soigner.

La conscience agrandie par la rage, je suis reparti à pleine vitesse dans une foule exponentielle en pleurnichant des reproches formulés comme les dix commandements; je demandais à qui se trouvait sur mon chemin ce qu'ils faisaient de leurs jours, dans cette bâtisse, tous ces malades de l'espoir qui ne pouvaient endurer au milieu d'eux un triomphe de la banalité comme moi… Ces deux-là ne m'oublieront pas de sitôt, ni moi eux.

Ça m'a semblé la suite toute tracée que d'aller me gaspiller dans les passions dévoratrices du Plateau, au début du territoire circonscrit par les gribouillages du Mathématicien sur le plan mural. Vers Rachel, on m'a assigné un tabouret inconfortable du Café Ollé, à l'écart de joueurs de cartes à la physionomie concentrée, qui formaient des face-à-face, mais sans trop ajouter à la tension de nos temps difficiles.

Entre un croissant au fromage et un thé au jasmin — là tout est à quelque chose —, j'ai repéré au hasard des assemblages de mots au dos de *Constructivisme et Structure du savoir*, un livre de Washington Desnombres emprunté à son sac aux motifs de tapisserie : « le phénomène n'est jamais indépendant du langage qui l'exprime », « priorité au constructeur sur les structures du savoir », « n'est-ce pas nous qui faisons découler les phénomènes de causes que nous leur supposons ? » Il aurait sans doute été possible de tirer quelque chose de ce texte promotionnel si mon attention n'avait plutôt été attirée par la photo du Philosophe-Mathématicien, représenté en assez vieil homme, je dirais d'un âge plus avancé que le Desnombres que je croyais connaître.

C'est une scène de jardin. On y voit l'auteur en plan américain, assis sur une chaise de toile, le regard muet sous des lunettes miroitantes, la peau sombre relevée d'éclairs aux joues et au front. Un magnifique foulard blanc, mais fripé comme un mouchoir de poche, lui serre le cou, le veston semble avoir été arraché à un épouvantail et le chapeau défait, lui avoir été lancé sur la tête par un joueur de tours durant son sommeil. Il a tout l'air d'un arbre encroué. La main gauche tient la droite comme si le poignet allait se casser ; la droite, un harmonica chromatique et une flûte champêtre. Mais qui est donc ce Desnombres, cette machine à calculer pensante dont on m'a imposé la présence, ensuite la disparition ? Un être de plus, un regard dévoré ? Quelques mots sous la photo indiquent que l'auteur est fils d'épicier. Belle révolte contre le père, n'est-ce pas, que d'outrer le sens du calcul par l'inclination à l'abstraction.

Le croissant avalé, j'ai sorti l'autre livre du sac, *Calcul de l'impensé*, dont la jaquette exhibait, en quatrième de couverture, une tout autre photo, très grand format, qui présentait un Washington Desnombres jeune, en chienne blanche et lunettes de corne. En travers, une inscription au feutre, de sa main sans doute : « Je suis ainsi déguisé en mathématicien parce qu'on ne me laisse plus vivre que du regard porté sur moi. Mais bientôt l'on ne me verra plus. » Le livre tout entier semble ainsi bourré d'annotations ironiques. Au verso du deuxième feuillet, dans un phylactère dont l'appendice fait flèche vers « Du même auteur », on peut lire : « Tous ces titres du même pistolet ! Que d'efforts investis dans des projets de langage pour se construire des défenses contre l'angoisse ! » Et dans un autre, accroché à son plus ancien titre : « En ce temps-là, je gribouillais avec un balai et n'avais peur de rien. Maintenant, quand j'écris, c'est avec une Montblanc ou sur un IBM portatif, et la moindre phrase me fait chavirer d'angoisse… »

Cette nouvelle approche de Desnombres, ça m'a été un tel choc qu'il m'a fallu faire comme si de rien n'était. J'ai tout remis dans le sac, sauf la seconde jaquette, pour la suite de la recherche, surtout à cause du format et de la clarté de la photo.

Après un répit, une sueur d'angoisse m'est montée au front : c'étaient vraiment là, tout autour, des personnes, et en chacune se poursuivait une histoire ! Celui-là qui était bâti comme une autruche et qui se plaignait que les Loups tricolores de Montréal seraient rayés des séries de championnat dès le premier tour par les Moutons bleus de Québec ? Ce coincé, à la denture de morse, qui ne lit que des revues, dont la matérialité froissable à tout usage rassure l'anxiété, alors qu'il lui semble que les livres lui imposent une résistance ? Ce commentateur à la mode de la vie artistique, littéraire et culturelle, qui n'a rien lu, rien vu, mais qui déteste tout, qui écrit sur la place publique d'un café pour faire artiste, un séisme d'amplitude dix à l'échelle de l'ostentation ? Cet ange incandescent qui n'a jamais pu faire le deuil de ses ailes et qui klaxonnait « au fumeur ! », juste ce qu'il faut pour que je me mette au cigare, bien que je sache que ça m'étourdirait et que je ne pourrais le supporter ? Cet étudiant du deuxième âge, qui portait une casquette avec la visière en arrière et qui ne révisait que ce qu'il savait déjà de science sûre ? Cette autre, juste à côté, une jeunette qui avait tout de la chouette, un terrain miné par le body piercing, qui paraissait avoir mal là où d'autres ne souffrent pas et qui, penchée sur des feuilles volantes, développait dans un style diffus un amalgame de dessins et de phrases sur rien, qui n'appartenait d'ailleurs à personne ? Du genre à penser que sa croix demeure fixe tandis que la Terre tourne. Cette apprentie bédéiste, qui trimbalait sur la planète un de ces visages auxquels je ne peux plus faire face sans entrer dans une souffrance flagellante, elle paraissait belle de ce qui semblait vouloir la quitter. De son visage irradiait une fragilité accablante.

J'ai mis la photo de Washington Desnombres sous la figure de la dessinatrice, elle a levé le regard et j'ai tout de suite compris qu'elle savait tout de sa condition. Elle a crié qu'elle ne connaissait pas ce type, qu'elle ne l'avait jamais vu et qu'on lui foute la paix! J'ai à peine eu le temps d'entrevoir, sur un feuillet, qu'elle cherchait à raconter la vie d'un personnage qui caricaturait ses propres traits et qu'elle mettait en postures de page centrale de *Playboy*, mais qu'elle avait dû s'arrêter dès après les premiers mots de la première bulle : « J'ai née le… » Elle avait raturé ce début et suscrit : « J'ai mourue à l'avant-vie le… » Ce n'est pas bientôt qu'elle sera accouchée d'une révélation! Cette ébauche d'autofiction pour le moins compliquée, je me demandais si, à défaut de recomposer un intérieur, ça voulait, si ça pouvait servir de substitut à quelque chose qui aurait été perdu?

Je me suis senti en trop nombreuse compagnie et trop écrasé par sa rage pour ajouter le polaroïd à l'enregistrement de ses sanglots. J'ai juste griffonné : *café / bédéiste / prématurée / déploration.*

Ensuite de quoi j'ai montré la photo de Washington Desnombres en jeune mathématicien à des tas de Plateauzoaires, sans trop de succès, malgré la description détaillée en type trop grand, d'une maigreur qui incite soit à lui payer un sandwich, soit à le consoler, avec des cheveux peu disciplinés tirés vers l'arrière, sans oublier de mentionner sa passion pour la musique à bouche, ses épaules relevées, plaintives, sa face pointue, son œil pâle, si pâle qu'on dirait une mélancolie pastel ou l'arrière-pays vert d'une toile de Leonardo da Vinci. Je n'ai pu recueillir que quelques adresses de bars soumis le jour aux jaseurs, la nuit aux jazzeurs, puis il m'a fallu quitter le café en vitesse quand mon enthousiasme a été freiné par deux gars à grosses bottines et au crâne rasé qui m'ont demandé si au moins je cherchais ce nègre pour le rayer de la carte. Comme je ne répondais que par une grimace de stupeur, l'un d'eux a tiré fort sur la jaquette, me l'arrachant sans peine, et l'a déchirée. Il en a jeté les retailles dans une bouche d'égout, et tandis que je courais à côté de la bicyclette comme un orignal époumoné, il a feint de me prendre en chasse et a meuglé, batte de baseball en l'air : « Si j'te pogne, mon weirdo, j'te fais avaler ton casque pis tes lunettes de fucké ! J'vas te fêter l'cul, moué ! »

Je suis comme ça, sans accès aux ruses de ce temps déraisonnable où j'ai cent fois été mordu par des individus de la même foule, faite d'égoïsme et d'imbécillité, sans répliquer, baissant la tête ou fuyant comme un chien édenté. Je ne sais que devenir, sans éprouver quoi ni comment. N'ai pas vu se modifier mon corps mais l'aperçois changé, me vois vu, me comprends compris, m'imagine imaginé, me devine deviné, me révèle révélé. Je prends ma solitude pour une liberté et ma torpeur pour un mode de survie.

Des poings serrés sont aussi des paumes cachées, on sait ça, mais il est parfois difficile d'y souscrire tout à fait. Ça m'a donné l'idée d'un canular que je ne réaliserai pas, ça va de soi : un psychanalyste de masse interviewé aux informations, qui verrait dans une certaine jeunesse enrégimentée et gammée le retour d'un refoulé historique, et qui prescrirait comme traitement la repousse des cheveux à la manière des hippies de la fin des années soixante, mais j'ai l'orignal trop échiné et trop désorienté pour m'investir dans une mystification de plus, si légère soit-elle, sans compter que c'est si proche d'un constat de réalité que ça n'a plus force d'ironie.

On a dû me voir pédaler, parmi d'autres Plateaucipèdes, le cœur affolé, l'écume dans le toupet, rues Rivard et Resther, où en cette saison les bambins se font les dents sur les rampes de balcons salées par l'hiver qui débande à peine. J'aime au-dessus de tout vivre figure au vent comme un découvreur, pédaler d'un mouvement cadencé, n'aboutir nulle part s'il le faut, mais rouler. J'ai montré l'autre photo à la ronde, la petite, celle du vieux Desnombres, mais n'ai recueilli que des blagues faciles : est-ce votre père Alzheimer ? votre amant ? un ancien joueur de base-ball ? ou l'émission de la caméra cachée ?

J'ai une passion pour les noms de rues de Montréal. Sauf pour quelques quartiers où la tâche toponymique a été bâclée, comme dans l'est de Rosemont, dans des coins de Ville-Émard et de LaSalle, chaque rue porte un nom évocateur, pas un numéro. Ici, les rues ne sont pas des méridiens et des parallèles. Celui qui vit à l'angle de la 3e et de la 42e en a honte, il poste à son conseiller municipal des lettres photocopiées qu'il signe de cent noms différents afin que sa rue soit baptisée et ne finisse pas dans les limbes de la toponymie, il lui écrit : « Toi, tu te nommes Trempe, tu ne voudrais pas qu'on t'appelle Trente. » Mais de là à dire qu'ils connaissent l'origine des noms de leurs rues, les Montréalais, il y a une marge. On ne sait plus que Rivard a été maire et Resther, architecte. Songe-t-on au bond que l'on effectue dans l'histoire quand on bat le pavé avenue Trafalgar ou rue Wolfe — avec un *e* francisant —, du nom du vainqueur de Montcalm — sans *e* — sur les plaines d'Abraham, quand on se rend avenue Durham chez des amis sans histoire ? Certains, s'ils y pensaient trop, changeraient peut-être leur comptable de la rue Nelson pour un autre de la rue Le Ber, qui célèbre une mystique, pionnière de Montréal. N'irait-on pas plus souvent glander rues Byron, Jean-Racine, Mozart ou de la Friponne ? N'exigerait-on pas que Remembrance, qui rappelle la tournée de conscription de George VI en 1939, reprenne le nom de Shakespeare ? Je pédalais à une cadence régulière, parvenant à éviter, par un usage tempéré du pédalier, qu'à son plus bas niveau le pied gauche ne frôle les craques du trottoir, comme le pas du piéton qui refuse de les fouler, ce privilège étant réservé au pied droit, qui correspond au yang de l'androgyne Adam. Trouver son rythme, c'est quelque chose.

Pour une fois, je ne déambulais pas en flâneur et n'avais pas à ruser avec moi-même et à m'inventer un but, un attrait à tout bout de rue. La recherche s'accompagnait d'une bonne part de vigilance. Araignée tissant sa toile dans une nef de basilique prise pour un trou de serrure, je posais partout des questions qui me répétaient le sens de ces parcours improvisés, et ça me soudait à la perte de Desnombres, dont l'absence prenait figure d'espace humain impossible à investir. Il aura été, le philosophe des maths, sans trop le savoir, une étoile qui dématérialise la matière. On dirait que sa disparition me déchire, mais que son passage m'inspire, ou vice versa.

En milieu d'après-midi, le jour et à l'heure où Monsieur MacBos batifole chez sa comptable de la rue Nelson, ou est-ce le jour de l'avocate de la rue de la Friponne ? je suis passé au standard d'Hep Taxi ! attiré là par le projet de lancer les répartiteurs et chauffeurs à la recherche de Washington Desnombres. Qui sait, quelqu'un avait peut-être déjà pris en charge un client répondant à son signalement. À tout le moins, ils auraient pu ouvrir l'œil pour moi durant les prochains jours. Mais le MacBos occupait mon banc et s'égosillait en directives insensées dans mon micro. Ce mauvais travailleur qui fait chaque fois le coup du don de soi, quand il se donne, au mieux ça m'a l'air d'être un mal de chien, au pire, un mal de rein. Ça doit l'épuiser de toujours être ce qu'il est, de jour en jour et d'année en année.

Une réceptionniste de week-end, une éternelle étudiante marquée par une vie qui grince en elle des appels de mutilation et de mort, qui a des souvenirs de tentatives de suicide aux poignets et qui veut toujours me revoir pour me parler de choses que je comprendrais, de ces voix de requiem qui aspirent sa volonté et décoincent ses rêves, m'a conseillé l'éclipse avant que le MacBos ne me congédie. « Ses deux maîtresses viennent de le virer dans la même semaine, alors t'es mieux de pas te montrer la fraise si tu veux pas perdre ta place, et un conseil : quand viendra le temps de rentrer au travail, tâche d'avoir l'air de relever d'une grave maladie. Ce matin-là, mange un litre de crème glacée au petit-déjeuner, je l'ai déjà essayé, ça marche… »

J'ai foncé à la cuisine à la rencontre d'Omer Mongras, le frère du poète national, Omer, mon vieux complice des canulars, celui des répartiteurs que j'ai le plus souvent dépanné en tenant son micro après mes heures de travail, parfois jusqu'au lendemain. Cet escroc du dimanche, qui tient ses tripes dans sa seule main pour le jour où il lui faudra se laisser porter à l'urgence le corps criblé de balles tirées par ses plus louches amis, s'il a un bras en moins, c'est à cause de notre tout dernier canular, mais des mauvaises langues, y en a tant ! disent que ça pourrait bien se régénérer, comme chez les petits cerveaux de la chaîne biologique, la salamandre ou l'étoile de mer… Nous nous étions fait passer pour des graffiteurs de la société des transports new-yorkaise et avions tenté de rédiger des slogans pacifistes dans le tunnel du métro, après avoir calculé l'effet stroboscopique, et l'acrobatie de nuit avait mal tourné, un wagon d'entretien ayant renversé un échafaudage sur lequel Omer cassait la croûte.

Omer m'a appris que j'étais déjà du bord des sans-emploi et qu'il ne souhaitait pas m'y suivre, à cause de la pension alimentaire à payer, tu comprends, de la danseuse à baiser le samedi et du shylock qui l'attend à la taverne tous les jeudis de paye. Va donc falloir que j'entame le vieux gagné, qui est presque à zéro.

À la sortie, je suis tombé sur papa MacBos, le père fondateur immigrant, qu'on distingue à son balluchon or et platine. Chez lui, l'amour-propre n'est jamais défaillant. Ça n'a pas l'air de l'étonner de se voir en ce qu'il est devenu tant il a longtemps et sans doute toujours été convaincu de sa destinée de nabab. Il est mélomane à ses heures, mais il n'a jamais une minute à lui. Il mord sans relâche un cure-dent, mais c'est un homme propre, il ne le prête à personne. Je n'ai été un peu ému que par ce que j'avais oublié de lui, sa verdeur, sa moustache jaunie par le rejet de tabac chiqué, son œil blanc ; le reste, son égoïsme, sa vanité, ses jugements catho-bourgeois, son intolérance, ça m'a été une dispense du devoir de politesse. Dans le temps qu'il m'apprenait le travail de répartiteur, il lui arrivait de dire : « Vous, les Frenchies, vous ne savez jamais ce que vous voulez ! » C'était comme un jeu, je rétorquais : « Peut-être, mais on le veut avec passion, parce que la passion, nous, on connaît ça ! » C'était con comme une partie de Monopoly : que je te mets plein de maisons sur Illinois, toi un hôtel sur Boardwalk, go to go et ramasse deux cents rien du tout.

Il se lançait dans l'histoire de la fondation d'Hep Taxi ! le papa MacBos, au lendemain de la Deuxième Guerre mondiale, et dans le récit de son amitié avec l'ancien maire LaBannière, quand j'ai viré les talons, mais ça ne m'a pas épargné de l'entendre proférer, sur un ton ambigu qui ne m'a pas permis de mesurer le degré de persiflage : « Those were the good old days when the Frenchies knew their place ! » Il parle en alexandrins, papa MacBos, mais comme pour faire pièce à la logique, il a toujours un pied de trop dans le mâche-patates. En chaud partisan de la déroute, j'ai quitté Prince-Arthur comme on tourne la page, en prêtant attention à ses derniers mots et aux premiers de la suivante.

Par une bizarrerie des choses, je me suis retrouvé dans une rue commerciale où des marcheurs protestaient contre la fermeture d'usines et de petits commerces sous prétexte de mondialisation. Ici mille chômeurs de plus, là juste quatre, mais ailleurs huit cents...

« Ils appellent ça la rationalisation, l'équilibre financier, vociférait un orateur, mais qui est-ce que ça sert? où est l'avancement de la civilisation pour nous, porteurs de jeans et de chemises à carreaux, nous, bilingues, sous-bilingues et sur-bilingues qui ne fréquentons que le petit capital, et par en dessous à part ça, nous, les mange-de-la-marde du système? Camarades, les usines de la globalisation recrachent leur avidité de main-d'œuvre et laissent à la rue des sacs d'entrailles affamés. Le progrès a perdu la tête et tutoie la bêtise. Imaginez : la bourse réagit à la baisse lorsque trop de monde travaille! Mère Teresa a commencé de nous envoyer ses missionnaires de la Charité de Bogotá pour soulager nos plus démunis; est-ce que ça n'est pas là le signe de notre décroissance en capital d'humanité? Je vous le dis, nous piétinons les débris d'un meilleur temps, la sottise court après les esprits, sans égard pour les leçons mal apprises de l'Histoire. Réorganisons-nous en bastion de résistance et foutons à la porte ces astrologues de l'économie qui n'en savent pas plus que nous sur l'avenir de ce système injuste et corrompu où capital et société s'opposent. L'honneur d'une personne qui n'a renoncé ni au sens de l'indignation ni à la faculté d'émerveillement, mes amis, c'est de ne pas accepter le monde tel qu'il est…» À mettre, avec les polaroïds, sous les mentions : *mondialisation / chômeurs / harangue / impuissance.* Je me prenais à admirer cet orateur monté sur une plateforme roulante, capable de cynisme et de tendresse dans la même minute, moi à qui cette duplicité d'âme manque et qui n'ignore pas la disposition dont je suis privé… Derrière le véhicule du harangueur, des représentants de syndicats et de communautés ethniques, des Latinos, des Libanos, des Jamaïcos, des Vietnamos, des assistés sociaux du Plateau se suivaient en rangs serrés sous des bannières trouées et lançaient des slogans insaisissables.

Venues du centre — comme si la géométrie de l'île permettait qu'on lui détermine un centre ! —, des magasineuses remontaient le courant de la manifestation presque sans lever les yeux, sans doute de crainte de s'y apercevoir en prospective. Nous sommes trop peu et de moins en moins à ne pas ignorer que les personnes sont d'abord des individus et ensuite seulement des masses composables et décomposables. *Masse / chacun pour soi / distraction / perdition.* C'était comme si je circulais pour la première fois dans ce décor de salle de bains en rénovation, entre des marteaux pneumatiques et des battements de voiles de nonnes.

Pour éviter d'être écrasé par cette cohue bédouine, j'ai roulé dans la marge des trottoirs avec ceux-là qui vivent la vie têtue de l'itinérance, qu'au Moyen Âge on appelait les demeurant-partout. L'un d'eux tonitruait à tous les dix pas : « Ils travaillent comme des chiens, ils sont pauvres comme des cochons, libérez-les ! » Un autre renchérissait : « Ils tombent en ruine comme leurs appartements, relâchez-les ! » Nulle part ailleurs plus tragiquement que dans la grande bouillie la différence ne s'abat-elle sur les désadaptés, qui ne sont pas que ceux qui en affichent l'allure.

Sur la face latérale d'une école en voie de démolition, ont jailli, parmi des dizaines d'autres à moitié effondrés avec les murs, deux graffitis en forme de mode d'emploi : *Pour vaincre le mur, regardez à travers,* et à côté : *Épanchez-vous sur vos murs tandis qu'il en reste.* Certains démolissaient les parois d'une grosse école, d'autres, l'effet de la petite école en eux. Je suis resté là un temps à éprouver sans ardeur mon destin, ridicule à souhait, contrebattu par une parade de mots. À ce moment-là, ce qui se donnait à voir a commencé de vivre en moi. Je ne me satisfaisais plus à l'idée d'apercevoir les choses, fallait en faire des sensations. La luminosité et la fraîcheur ne venaient plus seulement du soleil et du Nord-Ouest, en passant par le Témiscamingue, mais aussi de moi et par moi.

Plus loin, trois ventres-vides réclamaient un geste de solidarité d'un restaurateur planté sur son perron, les bras en X sur le ventre, mais celui-là n'avait pas d'argent sur lui, disait-il, et pas de quoi préparer des sandwichs dans sa cuisine, même pas de café ! « C'est vous qui devriez mendier ! » a jugé un des affamés.

Je les ai fait monter, ces toussoteux, l'un sur le guidon, les deux autres sur le porte-bagages, et nous avons roulé un temps dans des tranches de foule amusée par ce vélo de la Méduse. J'ai voulu les amener se réchauffer dans un salon de thé, mais ça s'est vu tout de suite, dans le regard des jeunes madames, qu'elles nous prenaient pour des instruments désaccordés, sans compter que la patronne refusait que j'accroche la bicyclette au portemanteau du portique. Ça m'a évité de dépocher des masses pour trois tasses d'eau chaude brouillées aux queues de cerises.

Quand nous sommes ressortis, l'extrémité de la manifestation approchait sous la forme d'un petit groupe portant des t-shirts mauves et chantant *L'Internationale,* qui sera le genre humain. Plusieurs connaissaient mieux l'air que les paroles, et tout compte fait, ils étaient trop peu nombreux pour enterrer leurs propres fausses notes. « On est dans le gras du mythe ! » a lancé un de mes compagnons. Je me suis réfugié dans la brasserie La Chope avec ces amis aussi temporaires et circonstanciels que tous les autres d'avant. Moins ridicules que bouleversants, ils sont là qui bouffent à se défoncer, tandis que je pose les lèvres sur quelques goulots et m'échine dans le cahier quadrillé pour rattraper le récit de la journée. Ils jasent avec les buveurs, boivent avec les joueurs de dames et s'amusent avec les jaseurs. Ils somatisent à l'envers : un rien les guérit. L'un d'eux répète à qui veut l'entendre, et ma foi, on dirait bien que certains veulent prêter l'oreille à ça, que les gouvernements investissent des fortunes dans la recherche contre le chômage et la pauvreté, mais que dès que les fonctionnaires mettent le doigt sur un bobo, ils détournent le regard et trouvent ailleurs une raison de continuer à chercher, au salaire annuel prévu par la convention collective, ça va de soi.

Quelques fonctionnaires qui se rincent le gosier dans le fond de la salle, sans doute pour faire passer la poussière de la journée, acceptent mal ce discours. Va y avoir du grabuge. Vaudrait mieux qu'on déguerpisse tous les quatre avant d'avoir, eux la gueule en sang, moi à payer la note et les pots cassés.

Voilà.

DICTÉE 6

Où, indocile aux secousses du familier, Gésu Retard cédera
à sa pente vers la marginalité

Ces jours, le temps est aussi imprévisible que la frange ater-moyeuse de l'électorat souverainiste. Le printemps n'a pas tenu au-delà de la matinée, et il a presque fait les quatre saisons dans le même après-midi, comme disent les Irlandais. Au sortir de la brasserie, une pluie froide commençait de gâter la fin du jour, alors j'ai conduit mes insatiables à l'Accueil Bonneau. Ils se sont de nouveau maintenus, cette fois en véritables acrobates, sur les poignées et sur le porte-bagages. Deux fantassins, l'un du type setter irlandais à trois pattes, l'autre du genre scotch-terrier à trois pères, nous précédaient en éclaireurs. C'est pareil que toujours, je ne suis jamais entouré que de bêtes de ma sorte…

Le samedi soir est tombé, annonçant son habituelle tur-bulence de passions, et le temps froid s'est emparé de l'espace urbain et par son moyen m'a fait renoncer à l'entreprise de pister le Mathématicien. Même si le ciré de pêcheur me blindait contre le vent, il m'a fallu mettre le cap sur l'appartement de la rue Saint-Denis, à cause des sens qui se saturaient et du visage que je ne sentais plus, comme si le dentiste m'avait gelé la mandibule. J'étais à peine plus renseigné que la veille, mais mieux habité par l'absence de Desnombres.

Une enveloppe non timbrée de l'hôtel Primrose de Toronto avait été fixée à ma porte. Elle était adressée à Marin Marin, mon pseudonyme spek. Cette fois, il fallait ouvrir sans délai ; pas la peine de laisser refroidir un haïku spek, qui ne doit contenir rien d'utile, aucune nouvelle, aucune demande ou quoi que ce soit qui exige une réponse.

Au premier coup d'œil, j'ai été un peu agacé de lire, surmontant les trois vers du procès-verbal, une dédicace créolisée adressée à mon pseudonyme. Je crains que l'authenticité spek ne se raréfie au fur et à mesure que le mouvement gagne des adeptes. Le haïku se présentait sur un feuillet de bloc-notes de l'hôtel Équatorial de Canton :

> *pou Marin Marin*
> *Sous l'œil un décor*
> *Le corps durci en trompe-l'œil*
> *He loves another*

Un haïku conforme à l'esprit spek appelle un « Que dire de plus ! » qui est le C.Q.F.D. du procès-verbal spek. Comme il est prescrit par la règle, j'ai lu et relu le haïku jusqu'à m'en pénétrer, ai médité en m'inspirant de sa force évocatoire et l'ai jeté au milieu des déchets de la vie quotidienne afin qu'il poursuive sa route parmi d'autres paroles et pensées abandonnées.

J'ai mis au four un poulet au beurre d'arachide, lavé des épinards et préparé une mousse à l'ananas, convaincu que ça appâterait le Mathématicien des Îles, dont la disparition devient comme une respiration sans voix au bout du fil. Ce qui me requérait sans cesse, au milieu des préparatifs, c'était la défection de cet homme avec lequel je n'avais pourtant pas franchi le seuil de l'intimité, un inconnu à peine aperçu de trois quarts, dont même la photographie ne parvenait pas à surprendre le regard. Cette photo, j'y suis d'ailleurs retourné dans le même état de surprise qu'au café. Je n'y reconnaissais pas Washington Desnombres, non plus que dans les portraits figurant au verso d'autres de ses livres laissés dans le studio.

Au vrai, ce philosophe des maths, je ne l'ai pas trop passé en revue lors de son arrivée. Je le découvrais sur les photos comme si je n'avais jamais rien remarqué chez lui, sinon, tiens! cette manie de tourner les yeux plus lentement que la tête, ce qui lui conférait l'air de réagir en retard sur les événements, ou bien, mais n'est-ce pas la même chose perçue à l'envers? on ne pouvait pas ne pas noter chez lui cette façon de maintenir le regard longtemps posé sur les choses, comme s'il ne parvenait pas à s'en détacher. Le Mathématicien n'est pas de ceux qui ne voient pas ce qu'ils regardent, encore moins du genre de ceux qui ne regardent pas ce qu'ils voient ou qui se soustraient à la pénétration de leur propre regard.

J'y vois de moins en moins dans le chaos de cette éclipse et comprends ça comme le signe d'un développement prochain; j'y crois parce que j'en doute, tout comme, en fait, je recherche Desnombres et ne le cherche pas tout à fait.

Les mannequins et moi sentons la présence de quelqu'un susceptible à tout moment de se manifester, mais qui ne se montre pas, qui laisse vivre à sa place des traces quasi muettes. Je me trouve plus qu'hier pris dans l'engrenage de cet abandon, c'est comme la fois où les freins de la bicyclette avaient lâché durant la descente du mont Royal ou comme quand le canular avait été découvert dès avant mon arrivée au studio de télé et que je m'étais vu remplacé par un authentique moine de Saint-Benoît-du-Lac ulcéré par la rumeur selon laquelle son chœur de bénédictins ferait la première partie du spectacle des Rolling Stones au Stade olympique.

J'ai un temps fait rugir le tambour de mer, un tambourin rempli de billes qui simule les roulements et fracas de la mer quand on le remue comme un sas de chercheur d'or. Ça m'a un peu calmé de me mettre à l'écoute d'un remuement, même simulé, plus tempétueux mais plus uniforme que le mien.

Ç'aurait été l'occasion, par manière de passe-temps, de lancer à mon tour une opération spek, mais le fait à évoquer semblait trop peu commun; dommage, car je ne cesse d'éprouver que le procès-verbal sur le mode proche du haïku constitue le seul lieu où je puisse espérer approprier les mots à un usage évocatoire et assez… déroutant.

Je dois avouer que le mot «déroutant» m'obsède et me tourmente depuis qu'en début de soirée j'ai ouvert un carnet tiré du sac de Washington Desnombres, intitulé *Choses mises dans un cahier*, une ébauche d'essai dédié à Ludwig Wittgenstein, composé d'équations et de fragments biographiques ou philosophiques, le tout d'une calligraphie tumultueuse. Desnombres y prétend viser, par cette brassée de chiffres et de mots, à surprendre en lui-même quelque chose comme des idées déconcertantes, qu'il avait l'air d'attendre avec confiance, mais sans trop savoir d'où lui venait cette poussée d'espoir; ces idées, il les nommait ses insoumises, ou ses inopinées, ou ses déroutantes… Il les appelait certes de ses vœux, mais avec l'air de craindre qu'elles ne se dérobent à son approche. « Ah ! mais peu importe, notait-il quelque part, leur découverte ne signifiera jamais que le monde existe. »

On aurait dit la cantilène d'un littérateur à la pensée froissée qui ne doit pas publier des livres à mettre entre toutes les mains. Témoin, ce passage recopié pour le cas où ça me serait utile ailleurs ou plus tard : « On sera averti, quand ces déroutantes surgiront dans l'ouvrage, par le fait que l'on croira que ce sont elles sans doute. C'est tout là le génie de ces insoumises que de fasciner sans que l'on sache toujours pourquoi, et tant mieux, car le pourquoi ne m'intéresse plus depuis qu'enfant on m'a menti sur la raison d'une fessée, à moins qu'on ne se soit trompé, mais le résultat pour moi fut le même. C'était vers la fin de l'enfance, à une coudée de la vie de jeune adulte, mais cette précision ne présente aucun intérêt, bien qu'on soit averti que le début, le milieu et la fin ne sont pas des lieux de hasard comme les autres. J'ai oublié ce que l'on me reprochait, de même que mon système de défense, s'il en fut. Je ne conserve qu'une mortifiante sensation d'iniquité qui depuis m'alimente le moulin à pensées. Cette rebuffade et tout ne fut plus pareil, ou fut-ce autre chose ? »

Compliqué, le père Desnombres ! Et dans quelle langue il se boutonne, qui plus est, au milieu d'équations surprises dans leur indétermination même !

La visiteuse d'en haut s'est pointée, se signalant par des pas courus du talon. J'ai juste eu le temps d'aller lire la dernière entrée de *Choses mises dans un cahier* : « Ils veulent me chasser de l'Université. Ils croient que là où j'ai semé mes pas, l'herbe ne saurait repousser. Dans leur langage, cela signifie que là où j'ai répandu mes paroles, les étudiants défroquent. » Puis ç'a été la criée, chez le voisin d'en haut, dans le palais des faveurs, des yodels mêlés de «c'est bon, c'est bon», de «oui, oui, encore, encore» et de «continue, continue!». Le plafond battait la mesure comme sous les coups de pattes d'un chien qui se gratte. Alors je suis sorti, par une nuit vocalique, à la recherche du même, toujours. J'ai un temps volé à ras le sol, Icare d'opérette au centre mou et aux ailes dépanachées, loin du soleil et distant de la mer, dans un dédale de rues connues dont je ne m'étais jamais figuré l'issue, jusqu'à ce que ça se mette à pleuvoir comme dans une pissotière. Le mieux, c'était de m'abriter dans une boîte à musique du samedi soir; ç'a été le No Hope.

Sur la porte, c'était écrit à la bombe, parmi des dessins manifestant une intense volonté de désespérer : *Never had no destination / Never had no inspiration.* Je tombais sur des déjetés volontaires, des tatoués traversés d'anneaux, des transpercés d'épingles qui, faute d'avenir, demeurent dans un présent maigre et vivent à fond de train comme le tout-à-l'égout. Ces combattants de la provocation et de la dérision, livides comme des lavabos, qui abusent de la tolérance commune en portant des stigmates fabriqués, avals de blessures privées, se jetaient les uns contre les autres au rythme d'une musique chaotique frappée de textes radicaux. Quand l'un tombait sous le choc, un autre l'aidait à se relever comme par dérision. Ils se fortifiaient de murales bariolées de formes entrelacées, aux traits épais et aux couleurs criardes. L'abus est leur langage. J'ai été emporté par un maelström de télescopages et d'empoignades, jusqu'à me retrouver foudroyé dans un coin, assommé et rejeté. On m'a fait fumer un pétard chimique qui m'a déstructuré. Le bar est devenu un bar tangible et la rue, une rue; je n'ai pas l'habitude de perceptions si radicales, je n'ai pas été formé pour vivre ça! Puis on m'a éjecté cul en l'air parce que j'avais voulu tirer un polaroïd de cette cohue tournant dans le sens des aiguilles de seringues. Il est probable que ça ne donnera rien de bon à l'enregistrement, mais si oui, ça sera à mettre sous les mentions : *punks / danse / fureur / collisions.*

J'ai dû me cacher dans la ruelle avant de récupérer la bicyclette enchaînée à une borne-fontaine, à cause du portier de plomb à qui je n'avais pas consenti une pièce d'assez grand format. On les connaît, ces fous de raison, qui tirent fierté de ne pas avoir vécu avec la femme qu'ils aimaient et qui, par cet aveu, croient faire la démonstration de leur emprise sur tous les aspects de leur vie.

Qu'y avait-il d'autre à faire que de retourner vivre sans attroupement de fond, sinon celle des frères mannequins, qui composent ma congrégation de moines silencieux, rentrer, donc, rejouer ma séance de billard électrique, rouler dans les recoins de la maison, usant du pic comme d'un pare-chocs, carambolant d'un meuble à l'autre, culbutant jusqu'à faire venir à moi le plaisir en un lieu fixé par le hasard ? Ç'a été au pied d'un radiateur en fonte, au bout du salon.

Je me suis réfugié dans le studio pour la nuit, sous le plan éclairé du quartier, et là, je n'ai pas pu ne pas relever de nouveaux traits qui s'étaient ajoutés aux précédents, qui eux-mêmes s'étaient consolidés… jusqu'à faire paraître lisibles quelques lettres, même jusqu'à donner le goût de croire que des mots se formeraient bientôt. Mais qui donc me joue ce tour ? Washington Desnombres ? ou quoi ? ce qu'ils appellent la réalité ? Il se peut, comme on le dit, que je sois un inquiet chronique, que j'aie déjà pris un chapeau de fourrure sur une chaise pour le raton qu'il avait déjà personnifié ; mais que ma raison soit ainsi terrorisée à cause de la disparition d'un exalté qui, comme tous ceux de son espèce, lutte contre la fuite des choses et du temps, eh bien, ça se détache de l'habitude comme un incident nouveau… et déroutant.

S'il était un moment où quelque chose, ce tourment en particulier, devait se produire, c'était à cet instant précis. Je mesure l'absence qui a précédé la venue du Mathématicien et me tais. Remis à demain de poursuivre la lecture du carnet de Desnombres, aussi de comparer le plan punaisé au mur avec la carte pliante conservée dans mon sac pour scénariser une évolution. La réalité semble aller d'une vie dissolue, il n'y a rien à tirer de ce que j'en sais, moi qui ne peux plus parler que pour témoigner d'un éprouvé.

Pas de place pour un jour de plus dans le cahier quadrillé. Demain, carnet rigide en faux chagrin. Il se peut que nous soyons pas mal de monde à le charger de nos agitations. On n'est jamais tout à fait seul dans sa solitude.

Mes identités chancellent, le mieux serait de relire jusqu'au sommeil *Tintin au Tibet*, où le reporter à la houppe pétrifiée répand des larmes pour la première fois, à cause d'une amitié retrouvée. Une bande de voix bulgares tourne sur le grand magnéto. À côté, une bobine de pièces chinoises attend de prendre la relève après le premier quart de nuit. L'usuelle musique de cirque sert de réserve pour quand la nuit fuira d'une fuite éternelle et laissera place au jour.

Voilà. Sifflet en bouche, et sifflement de désarroi. Psi-îîît…

Jour 4, un dimanche

DICTÉE 7

*Où Gésu Retard affrontera l'éclosion d'une désespérance nocturne
propre à le saturer de vitalité*

Celui qui n'a pas vécu près d'un demi-siècle sous l'empire
d'une bouderie réticente ne pourra concevoir l'état dans lequel
je me découvre parfois en m'éveillant dans le noir ou dans un
silence opaque. Arraché au sommeil au milieu d'une nuit par
un fragment de tranquillité insupportable, je n'ai pu que
constater que ne s'était toujours pas réalisé ce rêve d'enfance
dont j'avais cru avoir depuis longtemps effacé le désir qui lui
correspondait : une fois encore, je ne me suis pas levé avant celui
que j'étais hier ni n'ai pris sa place avant qu'il n'émerge des
limbes ; je n'avais pas mis les restants de moi-même aux
ordures, la veille, et me retrouvais de nouveau sous ma propre
forme frémissante, cependant moins déçu que résigné.

Me suis donc trouvé expulsé du sommeil, tout à l'heure, à

la suite d'un sursaut, par manque d'adéquation au mutisme des choses. Ah! ce silence, ce maudit silence! on s'ouvrirait la tête par le milieu pour l'empêcher de s'implanter par tout le corps et de faire taire les autres en soi, même quelques secondes entre deux rêves. Ce qui s'est remis à me tracasser — je n'en demande pas davantage —, c'est que je ne saurais expliquer pourquoi la disparition d'un inconnu, qui semble aller d'un lieu habité d'objets dont les souvenirs lui sont étrangers à un autre, me bouleverse tant, ni d'où me vient cette fascination pour une énigme détachée de ma personne.

Rejet effectué de confettis de rêves, donc, j'ai fait démarrer la seconde bobine, celle qui rassure, qui met au pas de la joie, et une musique pour acrobates-équilibristes a commencé d'accentuer son rythme forcé de coups de cymbales. Il était trois heures du matin et ne cessait de se répéter en moi : même heure, peut-être une heure de moins dans l'Illinois, au bord du lac Michigan, à l'embouchure de la rivière Chicago. Et si Washington Desnombres, justement, était rentré chez lui, dans la ville des Vents, renifler le Middle West ? Ça verserait dans l'affaire un peu d'espoir de s'en déprendre.

Dans le studio, une nuit écrasante accaparait la fenêtre et me renvoyait une curieuse image de moi-même en dormeur contrarié surgi dans la réalité avérée parmi des objets pris en flagrant délit d'improductivité. Secoué par les heurts d'une absence qui contient toutes les séparations, je me suis mis à fouiller dans le sac du Mathématicien avec une fébrilité que je ne reconnaissais pas et jusqu'à m'emparer avec précaution d'objets qui me touchaient, sans toutefois me frotter les mains, comme d'habitude, pour en effacer sur moi l'altérité. Comme ma patience allait s'exténuer, c'est sur la page de garde d'un agenda qu'est apparu ce que je cherchais, sous la forme d'un tampon détaillant les coordonnées de Washington Desnombres. J'ai composé le numéro sans hésiter. Après tout, cette fin de millénaire n'est-elle pas à la folie des communications! Durant les roulements de la sonnerie, je continuais l'exploration du sac, et c'est juste comme je mettais la main sur des passeports au nom du Mathématicien, un états-unien, un vénézuélien et un français émis à Fort-de-France, qu'une voix de fumeuse a roucoulé hello! « Madame Desnombres? » La voix s'est durcie d'un cran : « Madame Siebel-Desnombres, yes, who's calling? Qui l'appelle à cette heure? »

Cette voix m'a été comme une déconvenue et m'a mis du désordre dans l'attirail des émotions. Me suis soudain embourbé dans une série de détails inutiles auxquels la voix ne répondait que par des hum sucrés et des ah pensifs. Elle a demandé que le volume de la musique de cirque soit baissé, il l'a été. Moi qui suis de coutume bavard de réserve et d'écoute, me suis senti gorgé de paroles par un parfum de tabac imaginaire ; ne suis parvenu à m'arrêter qu'à l'usure, comme un véhicule qui décélère en rétrogradant ou comme une bande qui se coince dans le magnéto en mâchant ses derniers mots. Quand je nommais Washington Desnombres, la Chicagouine me reprenait : « Monsieur », ou « le Professeur Desnombres ».

Elle a jugé la situation peu alarmante, allant jusqu'à préciser que c'était dans la manière du Professeur de parfois remplacer le devoir par l'aventure, qu'elle ne se préoccupait pas trop de ça ; puis elle a ajouté quelque chose comme : « Ne cherchez pas une femme, ce n'est pas ce qui l'intéresse, cherchez plutôt des vieux copains auprès desquels il doit déplorer leur jeunesse écoulée ou les malheurs de notre époque, cherchez de beaux jeunes amis de rencontre sur les lèvres desquels il doit regretter le temps de sa virilité et de ses livres inspirés, ça allait ensemble, ou voyez chez les musiciens, du côté des quartiers ethniques surtout, parce que mon mari adore les Latinos, les Africains, les Asiatiques et tout ce qui lui permet d'oublier l'échec des civilisations dites développées.» Elle m'appelait Raccord ou Record, fallait chaque fois la reprendre : « Retard! Retard!»

En apprenant que le Professeur avait laissé derrière lui ses affaires, ses vêtements, ses livres, ses harmonicas, comme s'il était parti sous la dépendance d'une urgence ou d'une menace, elle a soudain commencé de paraître troublée. « Ses harmonicas, dites-vous! alors ça, c'est nouveau, et plus inquiétant. D'habitude, ces instruments lui servent de passeport pour la vie de nuit, les bars, les jam-sessions… de la vraie musicaillerie!» a-t-elle pris soin de surenchérir. J'ai demandé si elle ne voulait pas venir sur place se rendre compte par elle-même de la situation. Elle a eu une hésitation, puis cette coulée soupirante, sur un ton entendu : « I would prefer not, Monsieur Bartlebard.

— Retard.

— Y a des limites à talonner un homme qui déraille sans cesse et s'échappe par la tangente de sa résistance passive.»

C'est à peu près comme ça que les choses se sont dites. Elle a demandé que je la rappelle demain en après-midi, enfin, durant l'après-midi de ce jour débutant, et a coupé court à la conversation comme s'il n'y avait rien eu de plus à dire. Elle a raccroché après avoir fredonné : « Merci, Monsieur Ras-Bord, merci de votre sollicitude.

— Retard!»

J'ai bien peur d'être du genre de tortillé du bocal qui porte en lui tout l'émoi susceptible de tenir dans un seul être. De fait, au milieu de cette nuit interminable, j'avais le goût de l'attente si rentré, ah! ma foi, trop rentré pour me morfondre davantage, alors j'ai composé le 9-1-1 et signalé à une policière la disparition d'un éminent mathématicien américain de passage à Montréal. Après confirmation qu'une patrouille se présenterait bientôt à la maison, j'ai eu tout le loisir de me reprocher cette précipitation, mais sans tâcher d'en élucider les motifs. Suis pas du genre à prétendre saisir et encore moins à assumer tous mes entrelacs.

Me suis installé sur la balustrade de la galerie arrière, dos à la fenêtre grande ouverte pour écouter la musique de cirque dans un état d'attention flottante, comme qui entend sa propre respiration sans la discerner vraiment au milieu du bazar usuel, face à cette ruelle à une seule façade vivante, puisqu'elle s'obstrue de l'autre côté du haut mur de pierre du monastère des carmélites. À vrai dire, il ne m'était pas venu à l'esprit que les policiers arriveraient par la rue plutôt que par la ruelle, car la porte d'en avant, chez moi, ne se déverrouille que dans les grandes occasions, c'est-à-dire jamais. C'est le coup de sonnette qui m'a fait réaliser que le microcosme de l'appartement ne vibrait peut-être pas tout à fait au diapason du *la* universel. Ç'a été toute une besogne d'extraire la porte de son chambranle.

À l'entrée des policiers, distinguables au gyrophare qui leur tient lieu de couvre-chef et à la cataracte de doute qui leur voile la vue, je me suis contenté de quelques mots bafouillés, l'œil oblique, car je ne regarde jamais la vérité en face, mais au mieux de trois quarts. Ils ont enfilé le corridor, où une douzaine de mannequins mal rangés ont assisté, joyeux comme des enfants le midi de la Saint-Jean, au passage de ce bref défilé rythmé par une marche pour le numéro des éléphants. Dans le studio, il a fallu leur expliquer qu'une existence semblait y avoir suspendu son cours, comme si Washington Desnombres s'était volatilisé au moment de se mettre au lit! La grosse fille a convenu qu'il était possible que ce soit vrai, le moustachu, tout au plus qu'il était vrai que ce soit possible.

Devant ce jeu de répliques bivalent, qui m'a du coup planté un rictus tout à fait contraire à la face de carême qu'on me connaît d'habitude, je me suis soudain senti terrorisé. C'était un sourire qui avait l'air d'une grimace ahurie, j'en suis sûr, comme cette fois, il y a longtemps, chez les sœurs de la Charité, à Québec, quand, après avoir été épouvanté par les crocs d'un chien baveux prêts à me déchiqueter l'âme, j'étais resté de longs mois, des mois délicieux sans parler… Le Moustachu m'a examiné le casque et le pic, passant de l'un à l'autre comme s'ils étaient reliés par un fil, avant de consigner quelque chose sur un calepin, puis il a exigé qu'on fasse cesser cette musique exaspérante. J'abomine les calepins des autres et leur insolence.

Les policiers m'ont soumis à un barrage de questions en ratissant large, s'enquérant du nom de la femme du Mathématicien et de celui de l'ami commun qui l'avait recommandé, même du nom de ma mère, si j'étais restaurateur de mannequins, décorateur ou metteur en scène, si j'étais un athlète, à cause de la coquille de protection que j'avais l'air de porter sous le pyjama. Les questions se recoupaient, quand elles ne se répétaient pas sous une autre forme, et je n'avais presque jamais de réponse claire à formuler, sauf pour le nom du poisson, Mazout, qui représente le pôle méditatif de la maison, et du chat, Mot, le pôle athlétique. La policière a noté que tout, dans ma tête comme dans ma vie, semblait chaotique; j'ai plutôt proposé amphigourique, mais c'était raté! elle connaissait le mot et l'épelait sans erreur. Réponses équivoques et douteuses, donc suspectes, a par ailleurs jugé le Moustachu, qui est retourné dans la voiture-radio communiquer cette impression à ses supérieurs. Durant l'attente, la Grosse Fille a feint de me rassurer avec des formules toutes faites, toutes faites pour les caves, oui! du genre: «Certains, parfois, réapparaissent dans leurs pistes sans prévenir, comme ils étaient disparus…» Ç'avait l'air d'essayer de réveiller quelque chose comme un espoir en elle. Puis le Moustachu est revenu, triomphal, annoncer l'arrivée imminente d'un inspecteur.

Entre-temps, une seconde patrouille est arrivée, puis une troisième et peut-être une quatrième, une vraie parade de nuit ! Les gars surtout analysaient par pelotons la seconde dégelée subie par les Loups de Montréal, hier soir, il y a quelques heures à peine, sur la patinoire locale, contre ces foutus Moutons de Québec. Si je m'approchais d'un groupuscule ou de l'autre, ils mordaient leurs paroles, comme s'ils voyaient s'amener un traître au Bleu-Blanc-Rouge local ou un déviant qui tenterait de faire inscrire son nom dans *Le Livre des records* sous la rubrique Bandaison… Devant ces essaims de Plateaucéphales à gros cul, tous à peu près identiques et interchangeables sous l'uniforme, j'ai cédé à une sorte de vacillation cafardeuse.

J'étais encore blotti dans ce désenchantement lorsque l'Inspecteur a fait ce qui s'appelle une entrée remarquée. Il nous est tombé dessus comme une averse de neige lente, excitant les uns, surprenant les autres en flagrant délit de distraction, nous recouvrant tous de son flegme courtois, les mannequins y compris, chez qui la surprise est pourtant déjà plaquée en trompe-l'œil.

L'Inspecteur est un homme de gros calibre, à la face molle et barrée d'une moustache tombante, flegmatique et droit d'esprit ; il porte partout sa forme pyramidale qui le met très à l'aise dans une société qui ne tourne pas rond. Un autre qui n'a jamais cru qu'il était né la tête en bas, mais qu'il s'était plutôt élevé tête première dans un monde à l'envers.

La Pyramide a cru devoir tout reprendre depuis le début et a regrasseyé les mêmes questions en comparant mes nouvelles réponses aux précédentes résumées par les agents. J'ai voulu négocier l'interprétation de certains détails, mais il ne m'a laissé aucune ouverture. Puis il a paru découvrir quelque chose dans les notes du Moustachu et m'a lorgné vers l'enflure de l'aine. Pour dérider l'escouade, j'imagine, ou pour secouer son propre assoupissement, il a demandé si j'étais présentateur de strip-teaseuses. Comme il ne me semblait pas que cette niaiserie appelait une réplique, le Moustachu a dû combler le silence et dévoiler ma fonction de répartiteur à Hep Taxi! « C'est vrai, ça?

— Je peux le prouver…

— Oh! ça, c'est pas parce qu'une chose est prouvée qu'elle est incontestable. »

Il n'y a sans doute pas moyen d'avoir le dernier mot contre lui, sauf à se laisser pendre et à crier merci! Il doutait que Washington Desnombres ne soit pas revenu depuis avant-hier. « Vous en êtes absolument certain? » Ce que j'ai répondu alors a pris le pli de ma démesure habituelle, ç'a été quelque chose comme : « Je ne puis m'apaiser dans aucune connaissance, encore moins dans aucune certitude. Quant à l'absolu… » ou une autre fadaise du genre. Il aurait dû rire, la Pyramide, il a plutôt fait rouler son bic dans son carnet pour noter une remarque me concernant. Ah! les maudites observations secrètes des autres, c'est comme les rictus en coin, on ne sait jamais ce que ça porte.

Il semblait à la Pyramide que ce que je disais avait plus d'allure que de sens. Il l'a souligné à voix claire. Sous son regard sceptique, ma pâleur a dû commencer de ternir sur le gonflement des paupières. Il fallait rajouter que je n'étais pas certain de ce que je savais, comment l'aurais-je été de ce que je disais? mais la parole m'a été coupée — ce qui est courant chez moi —, puis j'y ai renoncé.

Après avoir tenu un conciliabule dans la cuisine, les policiers ont inspecté le studio et ont saisi les effets personnels de Washington Desnombres, sans mandat ni consentement de ma part, dont *Choses mises dans un cahier,* ce carnet aux pages couvertes de calculs et de fragments d'écriture — parfois on aurait dit des débuts d'essais ou de poèmes — que je n'aurais pas voulu laisser aller. Il y a tout lieu de regretter la perte de ce document, surtout de ne pas l'avoir assez consulté quand je l'avais en main, d'en avoir examiné à peine plus que l'harmonie graphique des chiffres et symboles mathématiques alignés et superposés, ne serait-ce que pour confirmer une fois de plus que la beauté est bien à la racine du redoutable.

Au bout d'un temps, ne pouvant plus supporter cette intrusion, j'ai prétexté un rendez-vous à l'aube pour demander qu'on me laisse. Un rendez-vous à cette heure les étonnait, surtout la Pyramide, et ça, même s'il ne s'agissait que d'aller faire des exercices de taï chi dans le parc Laurier. «À l'aube! a balbutié la Grosse Fille…

— À l'aurore, en fait. À l'heure matinale où le corbeau ressort de sous la paupière du soleil, redevient tache funèbre et crie "demain, demain, demain"…»

Ils m'ont trouvé bizarre, bizarre, bizarre… Sans doute le suis-je, mais certes pas tant qu'il ne puisse s'en trouver de plus originaux dans leurs fichiers. Ils ont aussi estimé qu'à l'aube ou à l'aurore, c'était tôt levé! Voilà pourtant bien ce que je crois aimer par-dessus tout, mais qui ne peut se réaliser assez souvent : réveil à l'aube, bicyclette à l'aurore, taï chi dans la frange du jour pour recentrer en moi l'individu, petit-déjeuner plein de gâteries, bien qu'à peine touché, café à La Panse vorace et randonnée en témoin anonyme au milieu de la foule matinale, où chacun ressemble à son animal ou à son oiseau.

Les policiers n'ont pas lâché l'os sans résistance, ils se sont éloignés de la maison longtemps en regardant derrière eux, puis la patrouille s'est installée en vigie au bout de la ruelle, près du monastère des carmélites. Il faisait brouillard et c'était mouillé partout, mais qu'importe, je me suis sauvé à bicyclette par un lacis de ruelles et d'allées dissimulées, stoïque comme un Écossais sous la pluie. Toute issue vue de l'autre bord des choses ayant valeur de voie d'accès, j'ai plutôt eu l'impression d'entrer dans le monde par une porte dérobée.

La ville blême, plus belle par ses gens que dans sa matérialité, ne s'était pas encore composé une contenance humaine. J'ai cru devoir pédaler sous une pluie soutenue, c'était ici une vapeur d'embruns qui doublait l'impression d'aube, là une bruine opalisée qui roulait en gouttes sur les lunettes d'aviateur et faisait monter des odeurs de terre. Des fenêtres noires masquaient le sommeil des Plateaumanes. Même les derniers oiseaux de nuit, dans les rues lavées, rôdaient à vol ou à pas feutrés. Les autos disposées en colonnes, les enfilades d'escaliers extérieurs, les porches, presque tout échappait à mes prises, je n'avais plus d'attention que pour les dernières zébrures de la nuit électrique.

J'ai roulé sans presque pédaler, affichant l'air calme du canoéiste qui a posé les rames et qui se laisse dériver nez au vent. Soudain débordant de sensation de vivre, j'ai vogué rue Boucher — allez donc savoir pourquoi ce nom! — jusqu'au parc Laurier — quinze ans Premier ministre du pays —, qui à cette heure prend valeur d'espace plein de recueillement. Curieux revirement de vocation pour un lieu qui fut une carrière, puis un dépotoir… C'est là que j'ai constaté que la patrouille se tenait à portée de vue derrière moi, sans doute depuis la maison. J'avais donc été suivi. Pour la première fois depuis les sœurs de la Charité, j'étais une présence dans le théâtre intérieur de quelqu'un.

Ne distingue-t-on pas comme le phrasé du randonneur se métamorphose selon qu'il est à pied ou à bicyclette, que c'est matin ou soir, par beau ou mauvais temps, s'il porte un but ou non, son histoire ou pas ?

Me suis installé derrière un petit groupe de têtes sereines qui hument le vent et boivent la rosée, qui font mouvoir ensemble et dans une délicate lenteur les jambes, les hanches, les paumes ouvertes et le ventre. Il pleuvinait des miettes et des brins si fins, sur l'herbe humide de la veille, qu'on aurait dit le silence ; un Irlandais qui vénère les sols mouillés aurait trouvé là matière à tomber à genoux. À cheval sur la barre de la bicyclette, je me suis contenté d'automassages des mains et des bras, de la colonne et du trapèze, car je n'en suis pas au point de coordonner mouvements lents, respiration adéquate et montée d'énergie, j'ignore même ce que peuvent vouloir dire centrer sa respiration sous le nombril et élever son énergie au palais du cerveau, comme dit le maître de taï chi.

Je suis resté jusqu'à la fin de la séance de ces têtes tranquilles, à rêver du jour où je pourrais faire vivre ensemble certaines parties de moi-même et habiter assez pleinement ce corps pour me mettre à l'écoute de la réalité qui le traverse et s'écoule en lui. Mais cette nouvelle conscience corporelle s'est interrompue quand la patrouille est repartie, tous feux giratoires clignotants, précédée de ses propres stridulations. C'était donc le moment, avant qu'ils ne s'éloignent, d'aborder les amateurs de gymnastique chinoise et d'exhiber la photo de Desnombres.

Ils ont cru reconnaître un certain soûlard qui, les deux matins précédents, les avait taquinés et félicités de leur résistance au principe de vitesse excessive imposé par la majorité. Le premier jour, il aurait été accompagné d'un cow-boy avec lequel il se serait amusé à permuter une tuque et un Stetson ; le second matin, d'un blond aux cheveux en brosse, avec lequel il aurait interchangé le Stetson et une casquette qu'ils auraient portée à tour de rôle, la visière derrière… « C'était pas des manières de mathématicien, il me semble ! a estimé une Plateaucrate farcie de bonnes manières.

— Ça m'étonnerait eh… que ce soit eh… votre homme », a bredouillé un autre, comme si certains îlots de mots n'étaient pas autorisés à se toucher.

Plus tard et autre part, ç'a été les premiers claquements de portières, des renversements de poubelles ; quelques fenêtres à peine — c'est dimanche — se sont mises à gicler. Le fil de la nuit rompu, le jour s'étalait, un ciel agité mais allant s'éclaircissant secouait le matin de ses tressaillements. Les vents ont entrepris de se combattre, et cette animation m'a stimulé, j'ai virevolté entre les automobiles, parmi tant de choses qui existent et agissent, m'amusant à me perdre dans quelques rues entrelaçantes, à la fois auxiliaires et faire-valoir du hasard, comme si pour trouver l'autre, il fallait au préalable se perdre soi-même.

Vers neuf heures, sous un ciel lourd, je suis revenu d'une molle pédalée vers la maison ; j'affichais l'air d'un nomade perdu dans une toile de luministe. Me mouvais dans un territoire restreint, les paupières entre-closes, avec le détachement des asociaux. J'atteignais à cette désinvolture parce que, dans la cohue, je demeure sans nom et sans parole. Certains prétendent que je serais rejeté par ceux qui me croisent ; eh bien, je prie de s'abstenir ceux qui voudraient m'épargner un tel abandon, car je roule à l'aise dans cette marginalité, qui est ma coquetterie, chacun la sienne, et la mienne me va comme la mitaine d'un manchot, qu'il doit mordre pour s'en extraire.

La cour offrait un spectacle inattendu. Le carton dans lequel le nid d'oiseau avait été niché jonchait le sol de parois molles comme les montres de Dalí, et à côté d'un fragment plus imbibé que les autres, les restants de la base sans doute, le chat Mot maintenait une posture de guerrier, la queue en l'air et le nez tendu à ras le sol vers un tas d'oisillons, tandis qu'au-dessus de lui le ciel était traversé de criailleries et de vols effrénés de moineaux.

Après lui avoir attaché au cou deux paires de grelots qui traînaient dans le hangar, j'ai éloigné le matou à coups de battements de bras et d'invectives, puis récupéré les trois oiselets pour les mettre cette fois dans une boîte de bois qu'il ne restait plus qu'à fixer au poteau de trois clous, de façon qu'elle ne puisse pivoter sur elle-même. Je suis resté un temps dans la cour à observer la mère qui nourrissait ses petits. Où était donc le père ? parti chiquer ailleurs, j'imagine.

Puis le crachin a commencé de se resserrer sous une forme de pluie et grésil en vrac, alors je suis rentré en trombe. J'ai trouvé comme hier une enveloppe non timbrée scotchée à la vitre et adressée à mon pseudonyme spek. C'était écrit, sur un feuillet de bloc-notes de l'hôtel Saint Andrew d'Édimbourg, d'une main nerveuse, comme si on se confiait à mon amitié :

> *pou l'Orignal qui jase*
> *Gagot, misik, rhum*
> *Peep shows, piqueries ou saunas*
> *Nothing works, I drift*

Encore une fois, la métrique du vers central était boiteuse, fallait lire et compter au son. Il n'y avait cependant pas lieu de méditer longtemps, il m'a semblé que s'ouvrait là une piste plutôt qu'un sujet de réflexion. Je suis donc retourné dans le studio, plus décidé que jamais à confirmer le projet de la journée, soit de prospecter le quadrilatère déterminé par le plan, à commencer par les alentours immédiats, qu'on appelait autrefois le village des Pieds noirs, du surnom des travailleurs des carrières, disent les uns, des tanneries, prétendent les autres. C'est dans ce quartier qu'ont été extraites les pierres qui ont servi à construire les plus beaux monuments de la vieille ville, une autre fierté qui s'est perdue… J'ai avalé un bol de céréales qui régularisent le transit.

Le graffiti du plan mural s'est encore développé, j'y décode presque sans hésitation, sur la première ligne, à droite, une adresse : À Marin… à Marin Marin, sans doute, comme sur le premier haïku de Desnombres. Le reste demeure illisible dans sa continuité. Une lettre ici, une autre plus loin, deux autres ailleurs se laissent à peu près décoder, mais encore aucun mot. J'ai tantôt comparé les deux textes, celui du plan mural et le haïku du Saint Andrew, mais les traits ne se correspondent pas ; dans l'un, le deuxième vers commence par un *e* minuscule, dans l'autre, par un *P* majuscule.

Ce qui me frappe, cependant, c'est cette commune manie calligraphique qui achève l'adresse par un empâtement formant comme une bouffissure. Dans les deux cas, le bout du *n* du deuxième Marin s'épaissit de manière à former presque une tache, et ce pâté, sur le plan, est-ce un hasard ? indique avec précision l'emplacement de là où j'habite, rue Saint-Denis ! Ce n'est pas rien, ça ! Et ça ne veut certes pas rien dire… Faudra voir où tombera l'empâtement du dernier mot de ce graffiti en gestation.

Voilà.

DICTÉE 8

Où Gésu Retard ressentira une joie charnelle
à recevoir les heures dissoutes du plus tôt matin,
avant que ne lui advienne un dépit

Le temps s'était calmé, je suis reparti à bicyclette en roulant dans l'ombre des arbres. Une brise délicieuse m'a un brin étourdi, au point qu'à un moment donné, j'ai eu l'impression de ne plus progresser. Une jeune femme sur deux était enceinte, au parc de la Bolduc — du nom de la chanteuse-compositrice qui turlutait les misères de son temps —, l'autre poussait un carrosse. J'observais tout avec un intérêt nouveau, comme si ces rues avaient cessé d'être muettes à mon entendement. Rien de ce qu'elles me révélaient ne me surprenait, quoique rien ne ressemblait tout à fait à l'idée ordinaire que je m'en fais. C'était comme si demeurait seul perceptible l'étranger dans le familier. Le visible s'alimentait d'invisible. Au paysage coutumier s'était substituée une charade.

Je commençais de surprendre quelque chose d'intime, un inexprimé se situant plus en moi que dans les parages, une trame urbaine façonnée par un imaginaire et que j'appellerais ma Montréalie, non pas la ville sous la ville, non plus une Montréal parallèle, underground ou marginale, et rien à voir avec des faits de société, plutôt ma propre inscription — absurde, idéaliste, inventée, ce sera selon — dans le lieu commun, scène des origines pour certains, rite d'adoption ou de passage pour d'autres, peu importe; une incantation destinée à faire surgir en soi l'alentour, une représentation mentale de ce qui, de la cité, n'est présent qu'en soi; car il n'est rien de brut : tout est interprété, puisque tout est perception...

Je parle de la ville en acte, bien qu'en marge de l'usage courant. Une autre cohérence qui force à rejeter au néant les environs matériels. Ma conduite face à l'irréel du milieu, ce site privé où se joue mon véritable pouvoir d'écart. Pas une fiction, mais ce qui fait de moi une demeure. Si j'étais voyageur, on peut imaginer que j'aurais ma Parisie ou ma Londonie, ma Bruxellie ou mon Abidjanie, ma Los Angelie ou ma New Yorkie. Et qui sait, l'une ou l'autre de ma Cantonie, ma Napolie, ma Trois-Pistolie, mon Édimbourgie, ma Downpatrickie. Et je vois qu'il y a quelque part en moi une chimère vivante, mon Américanie, dont je serais l'Américois de référence, une Américanie qui bien sûr n'a rien à voir avec les folklores et les exotismes, ni avec les oncles Sam ou les self-made-men, rien à voir non plus avec les cabanes au Canada et les ad mare usque ad mare ou avec cette province d'outre-mer que les intellectuels parisiens qui ne tremblent pas pour leur langue viennent périodiquement arpenter, remués par des émotions qui ont tant d'expressions fines pour se dire.

À tout moment, le ronflement singulier d'une rue se voyait brisé par la disco d'une voiture sport qui, venue de nulle part, fuyait aussitôt vers un ailleurs. Crainte de disparaître si je ne me prêtais pas une attention obstinée, je cherchais partout mon reflet bougé dans les vitrines ou dans les glaces des voitures. Rue de Brébeuf ou rue Garnier, dont les noms rendent hommage à des missionnaires jésuites, ou était-ce plus loin ? on suppliciait une façade pour en faire un simulacre d'art déco ; avant-garde d'une dévastation qui sévit déjà ailleurs. Trois inscriptions, comme des clameurs griffant les murs, maculaient déjà la devanture : *Sauvez le quartier / Débâtissez ce ratage / Assez is enough !* Dans une rue transversale, d'énormes tuyaux aux couleurs de jeux d'enfants, au bas desquels des conteneurs recevaient des lambeaux, cicatrisaient une façade historique comme il n'y en a pas dans le coin où j'habite. Cette partie du Plateau où la jeune bourgeoisie besogneuse revient réparer les lieux de l'enfance subit de perpétuelles rénovations.

Sur le parvis d'une église sans triforium, ni gâbles, ni voussures, orgue et chant choral rejoignaient et adoucissaient les frustrations de quelques fumeurs qui refusent de fléchir le genou du respect et encore moins celui de la soumission, ni de trop penser au progrès de l'âme... Pas des porteurs de beau linge, ces lassés du dimanche, en tout cas, pas comme ces Italiens du Nord qui sont si à l'aise dans leurs habits qu'on les dirait nés dedans ; contrairement à autrefois, ils ne savent pas porter beau, surtout le dimanche, les Montréalais. Ils ont longtemps eu le fond de culotte entre les cuisses, aujourd'hui le jean délavé leur coince les rognons.

Les fumeurs me regardaient les examiner en échangeant des œillades qui avaient l'air de dire : il va pas rentrer dans notre église emmanché comme ça, çui-là ! Y a des places pour prier et y a des places pour bander ! On a ses lassitudes, mais la morale demeure bien plantée. Sur le panneau d'annonce des heures de messes pendu près de l'entrée principale, un graffiti tout frais demandait : *Y a-t-il une vie avant la mort ?*

Ils en ont, des églises, les Montréalais. Les plus attachantes, on dirait des navires de pierre naufragés sur un grain de sable. Les plus contemporaines semblent caricaturer le chapiteau de Barnum ou la Place des Arts. Tout ressemble à ces nouvelles églises qui ne ressemblent à rien et qu'on confond avec les patinoires couvertes ou les stations de métro, qui elles-mêmes descendent de salles de bains, comme l'humain du singe. Les clochers, éclipsés par les tours d'habitation, les panneaux-réclame ou les réflecteurs de terrains de jeu, ne jettent plus d'ombre sur les paroisses. Au temps de mon arrivée ici, quand j'ai été transféré dans un institut de sourds et muets, parce qu'on ne savait trop si je ne voulais ou ne pouvais plus parler, presque rien ne s'élevait plus haut que les clochers ; il suffisait de regarder un peu autour de soi, le nez en l'air, pour savoir si on s'était éloigné de son établissement durant la promenade. Aujourd'hui, qui sait à l'ombre de quel clocher il déambule ? On se repère sur le plan de la ville en fonction des stations de métro ; signe des temps, notre rapport d'identité s'est déplacé du monumental vers le circulatoire, de l'érigé vers le souterrain.

D'habitude, en ce temps-ci de l'année, je ne suis pas captif d'une telle aventure, je m'oxygène plutôt dans les balançoires du parc Albert-Saint-Martin, du nom du syndicaliste, rue de Bienville — fondateur de La Nouvelle-Orléans et gouverneur de la Louisiane —, à l'angle de la rue Pontiac — le grand chef outaouais. J'ai beaucoup songé, ces derniers jours, à ces Amérindiens de l'Ohio variolés par des couvertures contaminées reçues en cadeau des conquérants. Ce dimanche, quatre filles sur cinq font la passe dans le parc, trois enfants sur quatre consomment, deux gars sur trois vendent, un cycliste sur deux n'est pas le bienvenu si c'est pour fouiner. J'ai sauvé mon scalp de justesse.

Y a des tours de roues qu'on regarde aller devant comme ses propres pas et qui constituent des amorces de sincérité à l'égard de soi-même, mais encore faut-il les lire dans le recueillement, ces tours, en ce que l'on est, en ce que l'on est en voie de devenir. Quand on ne parvient pas à voir le monde par ce qu'il pourrait être pour soi, qu'on ne sait plus passer outre à rien qui empêche d'être à soi comme un confident, on devient comme ça, indifférent à l'advenu, et on se transforme en spectateur de ce qui arrive à l'autre, ou de l'autre qui arrive...

Un peu abasourdi, je suis rentré, en début d'après-midi, après le chop suey et les spareribs du Mam'selle Zen, mais les planètes avaient décomposé leur alignement ; l'ordinateur et la console de mixage avaient été volés, de même qu'un lecteur de cassettes plutôt démodé. La fenêtre béait toujours sur le fouillis de la cour. Heureusement que le grand magnéto est dissimulé en mon absence au fond du panier à linge sale. Le peu qui restait des affaires de Desnombres n'avait pas été pris, ni les bandes de l'encyclopédie des bruits ; le voleur ne manquait pas d'éthique ou peut-être avait-il atteint sa capacité de charge, ou bien ça ne l'intéressait tout simplement pas. Qui s'intéresse à ça ?

Je ne saurais dire comment ce scénario s'est dessiné avec autant de précision : j'ai verrouillé la fenêtre, l'ai couverte d'une serviette de plage, en ai déplié une autre sur le plancher pour couper le tintamarre et suis sorti briser la vitre par l'extérieur, comme si j'étais un habitué des fausses effractions, à l'aide d'une brique enveloppée dans un essuie-mains, afin de ne pas stimuler la suspicion des voisins, puis je suis rentré mesurer le dégât avant d'appeler les policiers.

C'est durant l'attente que j'ai aperçu quelques autres mots complets apparus sur le plan mural, cette fois dans le texte lui-même : un « sans », un « moi » et peut-être un « un », si rien ne venait s'ajouter à ces lettres pour compléter de tout autres mots, aussi quelques nouveaux caractères, plus ou moins flous, qui commençaient de se laisser décoder. Il semblait de plus en plus certain que l'ensemble dessinait la forme de trois vers, comme un haïku. Alors j'ai retéléphoné à Siebel-Desnombres, qui a paru tracassée par ces histoires de vol sans effraction, de haïkus assignables à Desnombres et d'épigraphe suintant d'un plan mural comme les larmes de sang d'un Jésus de plâtre. « Le temps de régler l'organisation de mes cours et je pars le plus tôt possible vers Montréal, a-t-elle dit en substance.

— Vous enseignez !

— Oui, c'est ça.

— Est-ce que vos enfants vous aiment ?

— Je n'ai pas d'enfants, Monsieur Ressort.

— Retard. Je veux dire vos élèves, ils doivent vous aimer ?

— Mes élèves, comme vous dites, ce sont des adultes qui préparent des thèses de doctorat en physique, ils ont d'autres préoccupations que ce à quoi vous pensez ou bien ils ne m'en parlent pas.

— Ah ! vous êtes aussi quelqu'un, alors ? »

Elle a recouvert la question d'un mutisme desséché, rien à voir avec la grande cérémonie monastique du silence. Cette réticence m'a infligé une de ces paniques ! Ç'a été un long temps comme un brouillage. Cette Chicagouine, on dirait un grand livre ouvert, mais comme un exemplaire de collection exposé en vitrine, aux pages 108-109. « Je partirai le plus tôt possible en voiture et roulerai au moins jusqu'à Toronto, où je coucherai ce soir chez ma sœur. J'en ai pour une huitaine d'heures. Je devrais arriver à Montréal demain midi. Excusez-moi, Monsieur Radar, je ne supporte pas l'avion.

— Retard ! De toute façon, c'est mieux comme ça, ç'aurait été toute une équipée que d'aller vous chercher à l'aéroport à bicyclette, vous savez…»

Il y a eu un silence lourd de sens, et sa parole s'est mise en marche comme un train à vapeur : «Ah ! ah ! vous êtes… vous êtes du type… du type à préférer la bicyclette à l'automobile, mais vous savez que l'une n'empêche pas l'autre…» J'ai balbutié un jeu de mots lamentable que je préfère ne pas répéter. Après tout, je n'ai pas promis des aveux incriminants. Re-mutité condescendante et cruelle, suite et fuite. Suis moins épais quand je pense seul que lorsque je m'adresse à quelqu'un.

Qu'est-ce donc qui se crispait en moi, sinon des riens ? «Je vous téléphonerai demain matin, de Toronto, pour préciser l'heure de mon arrivée, et qui sait si je ne préférerai pas compléter le trajet par le train ou l'autobus… Mais je ne sais pas, Monsieur Raifort, si je pourrai contribuer à diviser le mystère de cette disparition.

— Retard.»

Les policiers sont arrivés presque aussitôt, même que la Grosse Fille a senti la nécessité de justifier cette rapidité du service : «Nous étions tout près.» Ils ont rempli le formulaire de constat de vol. «Nous avons donc une brique dans un essuie-mains, et d'où venait-il, cet essuie-mains ?

— De la corde à linge.

— Et la serviette de plage sur le plancher, sur laquelle les débris de vitre sont tombés ?

— C'est… pour la pluie.

— Même quand la fenêtre est fermée et barrée.

— Pour quand elle ne l'est pas.

— Mais elle l'était?

— Quand la fenêtre a été brisée, oui.»

La belle illusion de se rassurer par un peu de franchise dans la construction mensongère! Le Moustachu est allé dans la voiture-radio communiquer son impression à ses supérieurs, et au bout de quelques minutes, il est revenu plutôt penaud. Ils sont repartis, la Grosse Fille et lui, en roulant des yeux comme des gyrophares, faisant crisser leurs semelles, flûtant comme des sirènes et jetant l'alarme sur leur passage, bousculant même les mannequins du corridor.

N'est-il rien de plus ambigu et de plus évasif qu'un mannequin tombé sur le flanc, qui conserve son quart de sourire, sa posture à demi naturelle et toute sa rigidité, sinon un ramassis de mannequins en tas? Si on les dévisageait avec attention, on apercevrait cette charge d'intimité que chacun porte en lui-même, mais sans pouvoir la nommer, jamais, car c'est construit comme un silence réticent. Cet inexprimable, cette dérobée de cadavres abandonnés sur le côté me convoque, c'est immanquable, et me perturbe jusqu'au ravissement.

Des jours comme aujourd'hui, les tourments humains resplendissent comme des eaux-fortes de Goya, hier c'était comme des tableaux de Bruegel l'Ancien, demain ça sera comme les dessins d'Artaud ou comme les portraits de Soutine. Voilà.

DICTÉE 9

Où la soudaine conscience de son incongruité poussera Gésu Retard
à un assez haut degré de confusion quant à lui-même

Le jour déclinant, j'ai roulé sur un ruban d'asphalte
en direction des bars et cafés. Il me semblait que les gens
des alentours allaient avec contenance, encore que sans
espoir, sans empressement mais avec force d'âme, moins méca-
niques, moins indifférents que les soirs de semaine. Aux
terrasses, des descendants de champions d'alcoolisme et
de piété ne joignaient plus les mains qu'autour de verres vides,
de façon à demeurer plus longtemps attablés sans renouveler la
consommation. Ils cherchaient à tuer le temps. Duel inégal,
m'a-t-il semblé. Plus loin, j'ai repéré le libellé d'un graffiti sur
une école secondaire : *Si voté pouvais changez le système / se serais*
ilégal ! Et par-dessus, d'une autre bombe, et d'un rouge plus
ardent : *Fuck le système !* Puis un autre sur une ancienne banque

transformée en garderie : *Combattez la pauvreté / pas les pauvres / bande de caves !*

Aux abords d'un terrain vague, juste à côté, des enfants de la société, habillés comme des déchets pour enrager les straights — pas nécessairement les mêmes qu'hier soir, encore que c'étaient peut-être ceux-là —, se tenaient dans la frange des promeneurs ordinaires pour en être vus sans en faire partie, des filles à la bouche peinte en mauve ou en noir, arborant des épingles de nourrice aux oreilles et des anneaux dans le nez, les unes montées sur des talons, les autres enfoncées dans des bottines de l'armée, en collants déchirés et minijupes sales, les cheveux décolorés ou de teintes criardes sculptés en forme de pics, des gars en bottes noires, porteurs de bracelets de cuir cloutés et de colliers de chien, qui ont le crâne rasé, à l'exception d'une crête de cheveux dressée au milieu. Ils sont enivrés par une philosophie de l'insolence et de la vulgarité. Leur décadence et leur ennui affairé constituent autant d'agressions. Mauvaise conscience d'une opulence mal partagée, ils détournent des lames de rasoir ou des tampax de leur usage habituel pour s'en faire des bijoux. Tout pour se démarquer de la cohue qui leur sert de repoussoir, pour se faire haïr d'elle. Ils ont dû me prendre pour ce que je suis, un de ces hippies d'autrefois qui ont cru à un monde meilleur et qu'ils méprisent tant, ou pour ce que je ne suis pas, un de ces artistes diplômés qui tournent autour de ce spectacle qui les dispense d'assumer eux-mêmes leur révolte, et ils m'ont renvoyé une seconde fois, comme on éconduit un grand frère agaçant. Pourtant, il me semblait que je ne les jugeais pas, enfin pas trop, pas plus que moi-même. Puis ils ont été délogés à leur tour par des skins, des néofascistes armés de bâtons de baseball, de coups-de-poing américains et de mâchoires claquantes. Les policiers sont arrivés après l'événement, c'est plus prudent.

Le jour a reculé devant la nuit, j'ai pédalé à profusion mais au ralenti sous un ciel moribond, dans un quartier en agonie. Quelque part entre un fast-food et un parking, un tousse-creux rappait les amertumes de sa génération en pissant dans sa guitare, tandis qu'autour, un brassage de pelés et de galeux se croisaient et décroisaient, se suivaient et rassemblaient, une langue-percée, un ventre-à-terre, une mal-armée, un fend-le-vent, une court-la-job, un serre-les-fesses, une slurp-la-soupe, un va-nu-fesses, une tire-la-langue, un cogne-la-pelle, eh oui, j'étais du lot, aussi anonyme qu'épuisé de mes cent fatigues. Plus loin, contre mon habitude, j'ai mis une pièce dans le feutre mou d'un jeune mendiant à canne blanche qui martyrisait un accordéon. Nous étions tous, les uns et les autres et tour à tour, sévères, voûtés, ingénus. Rien de plus poignant qu'un coucher de soleil reflété dans les lunettes noires d'un ado qui trompe les bonnes gens pour survivre. Le ciel s'est taché d'effusions orange vers l'horizon, et le soleil s'est engouffré. L'ado m'a retourné un clin d'œil complice. J'avais débordé le territoire déterminé par le plan mural, fallait rentrer par les tourments d'un ancien champ de manœuvres militaires transformé en parc sous le nom de Lafontaine — en référence à un ancien réformateur modéré! —, au début d'une soirée lancinante comme une douleur familière, et me faufiler sans traînasser entre des cons enragés qui n'étaient pour la plupart que des rats en congé.

À la maison, j'ai fumé une pipée aromatisée d'écorce de peuplier et de hasch, allongé parmi les mannequins, comme pour feindre devant moi-même la détente, puis j'ai préparé un repas pour personne seule. C'est d'ailleurs pendant que la soupe de truite à la coriandre mijotait qu'une nouvelle progression de l'épigraphe m'est apparue. J'ai alors recopié sur la carte pliante, en plus de l'éclosion de quelques caractères au tracé net, un *v*, un *s* et un *p*, l'avènement d'un « donc », d'un « peu » et d'un probable « et ». Le décodé ne révélait encore rien de trop éloquent, mais il semblait que le graffiti hâtait sa coulée de mots.

Pour habiter le temps, j'ai entrepris, sans raison consciente, en écoutant sur la radio à ondes courtes des prosodies de l'autre côté du globe, de réaliser des collages sur certains mannequins, y assemblant des étiquettes de jus de canneberges, des fragments de petites annonces, des bouts de cartes géographiques, des napperons de brasseries, des cartes d'identité de colloquistes piquées à l'université, des tickets de métro, quelques pages des *Psaumes* (« Voici, je suis né dans l'iniquité, / Et ma mère m'a conçu dans le péché. ») et autant d'une encyclopédie scientifique datant d'avant le laser.

Vers dix heures, comme pour céder à l'exceptionnel, je me suis assis sur le balcon, donc côté rue, walkman sur la tête, pour écouter une cassette de chants bantous en scrutant, les yeux plissés, les quelques étoiles enfoncées dans le sud-est, celles, me disais-je, qu'à cette heure de nuit africaine des Bantous du Cameroun, du Kenya ou d'Afrique du Sud contemplaient eux-mêmes au milieu de leurs chants et de leurs danses. C'était un peu comme s'ils faisaient la fête en direct. L'incinérateur municipal, bâti au lieu des anciennes carrières, et sa cheminée se découpait comme un animal fantasmagorique sur un ciel fort luné.

En fin de soirée, un astéroïde a pleuré des pierres et jeté des traits d'une lumière vive pareils à des égratignures. Suis retourné en catimini sous le plan du Plateau pour y surprendre la formation de mots tout à l'heure à peine esquissés. Avaient de fait éclos : un « viens », un « avec » et un « nous », ce qui commençait de donner une lecture assez complète de ce qui n'était pas autre chose qu'un haïku adressé : *À Marin Marin / Viens donc avec moi / Et* [illisible] *nous un peu /* [illisible] *sans* [illisible]. Ces vers, peut-être d'inspiration spek, peut-être pas, jaillissaient du plan mural, car personne ne pouvait être venu durant la soirée amplifier l'épigraphe sans que je m'en sois rendu compte. Le haïku n'était donc pas le fait d'une intervention humaine, ou si oui, sans doute fallait-il admettre qu'il ne résultait pas d'une opération coutumière.

Puis l'Ouillouilleuse et le Tatoué d'en haut ont repris la rude amour, expulsant des geignements et des ululements. Je me suis enfin décidé à mettre ça sur bande, sous les mentions : *copulation / voisins / fougue / criaillerie,* avant d'aller jouer à ricochet dans le cagibi qui me sert de chambre, de m'agiter comme un dératé entre les mannequins plus que jamais en arrêt contemplatif devant des valeurs ignorées des tempétueux de mon espèce. On les inspecterait de près, ces stoïques distraits, comme s'ils étaient des êtres vivants, et en eux on verrait un peu ce que l'humanité en soi dissimule à ses propres regards. Au bout d'un quart d'heure, je m'affaissais sous le hamac, le pic ensanglanté.

Le rigide en faux chagrin a fait son jour ; demain, tantôt, tout de suite, j'ouvre un carnet de croquis à couverture jaspée.

Il faudrait parcourir — mais je n'en ai pas la force — les quatre cahiers déjà remplis pour départager l'absurde et le sensé dans ce monde étriqué qu'est le mien, où tout peut arriver, même rien. Il n'y a pas d'autre raison de conserver ce journal d'un fait divers et de continuer d'abouter des croquis gelés et chiffonnés, tâchant à persévérer dans ce bricolage plein de ruptures et de mots jamais donnés d'aplomb, dans lequel j'apparais monté sur un corps de moineau à rescaper, qui s'ébroue pour se confirmer à lui-même et à lui seul en vie. Ces dictées prennent forme dans une langue empruntée et en voie de disparition, au bout d'un quartier humilié, dans un appartement loué, ouvert aux courants d'air et mal dépoussiéré. Je raconte avec une pioche sur une terre qui s'éventre et dont le chant est en voie d'inexistence, comme si l'effacement qui ouvre à la réexistence était ce qui pouvait lui arriver de mieux. Je tresse la chose comme elle me vient, parlant de ma parole de taciturne — sinon de quelle autre? Je raconte à côté des faits, mais tout droit sur moi-même et à proportion de mon peu de lucidité. Je murmure des aboiements rentrés, comme le chœur à bouche fermée, dans *Madame Butterfly*. Mais je ne sais plus trop de qui ou de quoi je parle, comme si le manque écrasait de son poids ce qui me manque même…

Mais que faudrait-il donc pour que je cesse de penser en mots et que ma voix s'endorme enfin du sommeil du fruste, que la boule de cuivre au bout du tuyau courbé m'échappe? Des complaintes écossaises à la cornemuse, peut-être…

Voilà. Sifflet entre les dents, et sifflement de mutité. Psi-îîît…

Jour 5, un lundi

DICTÉE 10

Où Gésu Retard sera jeté à bas de sa résistance
de principe à la splendeur

J'ai rêvé que je descendais dans un puits par une corde et qu'au bout d'elle je pendais les pieds dans le vide. Une voix venant d'en haut me commandait de sauter, une voix d'en bas, de remonter. C'est l'appel de la Chicagouine qui m'a réveillé ; la Siebel se trouvait bien à Toronto et s'apprêtait à monter dans le train de 8 heures, dont l'arrivée à Montréal était prévue pour 12 h 53.

Puis ç'a été le brouhaha combiné de *Jungle Queen,* qui accompagne le numéro des lions et tigres, et du vacarme des voitures roulant avec célérité sur la chaussée mouillée de la Saint-Denis. La foule de pions et de fous au regard bué, de plus en plus compacte dans sa frénésie, reprenait son grouillement cohésif et zélé de ruche. Quand c'est en branle, cet affairement, c'est à se demander ce qui pourra l'arrêter. Ça ne s'exprime pas à toute heure, mais disons que je regorge d'affection pour ces passants qui dodelinent de la tête, se déhanchent et dandinent, qui font balancer leur corps d'un côté l'autre et d'avant arrière, pour ces façades mal agencées qui trahissent des goûts échevelés, pour ces rues mieux déployées en longueur et en largeur qu'en hauteur, pour ces débâcles de vélos sur les pistes cyclables. Ils sont engoués de bicyclette, les Montréalais, encore qu'il faille ajouter qu'ils respectent aussi peu les cyclistes que les piétons, surtout les casqués en aviateur, lunettés et surlunettés. Trop latins pour ça! Aux basses heures de ce lundi, l'air pressé arrivait par la ruelle, virevoltait dans la cour et repartait on ne sait où faire croître l'espace.

Malgré l'effet d'une curiosité confinant à l'impatience, ce qui chez moi est coutumier, j'ai pris tout le temps de me glisser dans cette journée; comme le condamné à mort le matin de son dernier rendez-vous, j'ai petit-déjeuné en abondance après avoir couvert la table de pots, de fruits et de céréales. Quelque chose m'empêchait de chantonner un air qui ne soit pas d'un autre, comme si le singulier se condamnait à demeurer indicible ou comme s'il me fallait mépriser jusqu'à cet auditeur intérieur qui me contraint à mettre un mot derrière l'autre, et comme s'il m'était interdit d'apercevoir le grand côté même des petites choses.

Dans ces rares instants de ravissement où je ne me sens requis par quoi que ce soit, ce qui ne survient jamais qu'aux demi-saisons, les jours de congé et à l'heure du petit-déjeuner, je ne saurais m'intéresser à autre chose qu'au quotidien le plus creux, qu'à des prospectus publicitaires ou à des catalogues de marchandises, comme s'il m'était refusé de reluquer même le petit côté des grandes choses.

Ce n'est qu'après la dernière orange, sous le coup d'une nouvelle manie, que je suis retourné dans le studio évaluer la progression du graffiti, dans lequel deux nouveaux mots se donnaient maintenant à lire : un « amusons- », avec trait d'union juste avant le « nous », et un « moineau » en début de dernier vers. Il semblait donc ne manquer, pour compléter le haïku, que deux syllabes : *Viens donc avec moi / Et amusons-nous un peu / Moineau sans...* Fallait-il lire : sans pudeur ? sans vertu ? sans beauté ? sans défauts ? sans esprit ? mais peu importait, le sens du mot comptait moins que sa longueur. Je ne m'intéressais plus qu'au calcul du point de chute de l'empâtement présumé en queue de dernière lettre de cet ultime mot.

L'hypothèse tenait donc au si peu que voici : comme la bouffissure de l'adresse à Marin Marin indiquait l'emplacement de mon appartement rue Saint-Denis, celle du dernier mot du vers final devait désigner le lieu où Desnombres se terrait... C'est investir beaucoup d'espoir dans peu de chose, je sais bien, que de recevoir comme un signe ce qui ne constitue en toute logique qu'un hasard, mais il me paraît impossible, en même temps que ça me semble grotesque, de ne pas comprendre le haïku comme un message qui me serait adressé, et à moi seul, et qui aurait pour fonction de m'aider à déterrer Desnombres, et ma foi, je vais jusqu'à croire le Mathématicien capable d'avoir, par sa seule volonté, lancé un tel appel à l'aide sur fond de plan mural. Or, quelque mot que j'inscrive au bout de « Moineau sans », le pâté d'encre tombait toujours sur la voie de chemin de fer du Canadien Pacifique, un peu à l'ouest de Papineau — en l'honneur de l'arpenteur député, j'imagine, plutôt que de son fils, l'instigateur de la Rébellion de 1837-1838 —, sur cette diagonale, donc, qui figure la limite nord du Plateau. J'ai fait comme s'il était impossible que quelqu'un habite en ce lieu, de crainte de m'enliser dans des réseaux de sens encore plus impraticables. Je suis aussi comme ça, prompt à ne pas reconnaître ce que je pressens pour conserver une paix relative.

C'est en voulant reproduire ces ajouts sur la carte pliante que j'ai cru me rappeler avoir entraperçu, ces derniers jours, une inscription de cette sorte, mais où donc ? dans un livre de Washington Desnombres, sans doute, ou plutôt, oui, tiens ! dans un de ses carnets. J'avais le temps, avant l'arrivée du train de Toronto, de passer au poste de police demander à consulter les carnets du Mathématicien. Sans trop de raisonnement, j'entretenais la certitude que ça pouvait avoir de l'importance.

Avant de sortir, j'ai installé un mannequin habillé d'une robe de chambre, pipe en bouche, dans une berceuse près de la porte de la cuisine, et d'autres en silhouette devant les fenêtres pour créer l'illusion d'une présence. Ces rigides aux yeux secs, c'est un hasard s'ils ressemblent à quelqu'un, mais ils correspondent tous à quelque échantillon de subjectivité.

Dans la cour, où les orages ont pioché des trous toute la nuit, des mainates, des vachers, des étourneaux s'aspergeaient de becquées de pluie et grinçaient des sonorités contentes. Le chat Mot, embusqué sous une épinette chétive, lorgnait la scène dans une attitude de souplesse tendue qui présage la chasse, puis un véritable hurlement d'alarme a émané des arbres, qui signalait sa présence ou la mienne dans la porte, on ne le saura pas. Mot a senti ses proies sur le point de lui échapper, il a foncé dans la compagnie en produisant un concert de clochettes, mais les baigneurs formaient déjà une volée multiethnique. Je suis sorti en laissant la radio zozoter ses ballades rock de l'avant-midi.

C'était un autre de ces matins bruineux où tout paraît mis en doute, où tout baigne dans l'huile de l'ouverture de la semaine, une de ces matinées qui cesse vite de grandir, tenue à une ennuyeuse luminosité de temps couvert. Il a beaucoup plu, la nuit passée, au point qu'en milieu de matinée, l'eau n'avait toujours pas cessé de filer le long des chaînes de trottoirs, et la fraîcheur retombait toujours sur les têtes. Des rebonds de nuages mettaient du relief au-dessus des maisons.

Je me suis engagé dans un de ces chemins détournés qui mènent, quoi qu'on fasse, au poste de police, mais en premier, au comptoir de l'hebdo *Voir,* rue Saint-Denis, une gazette branchée et pliée en deux au regard des folies de la société culturelle, distribuée gratuitement dans les cafés, librairies et buanderies, connue pour ses jeux de mots déroutants qui font titre, ses nouvelles cryptologies, son discours de génération et ses petites annonces de type : sujet cherche complément ; BF humaniste passionnée de 38 ans, pétillante, cherche BH mêmes affinités avec voiture récente, bedaines s'abstenir ; BJ tango argentin cherche danseuse pour prendre jambes à son cou ; perle 45 ans cherche bijoutier pour la monter ; BH cherche BF pour être bien dans sa peau ; BJ patiente cherche BJ médecin pour donner son corps à sa science ; gai désire faire le train de nuit avec J wagons en scandant des tchou-tchou.

J'ai placé une annonce dans le numéro du jeudi ensuivant, soit dans trois jours, et réservé une boîte vocale pour recueillir les réponses : *Recherche intensivement Washington Desnombres : ami mathématicien américain harmoniciste.* On verra si cet appel se rendra jusqu'à Desnombres lui-même, si les intermédiaires ne le dévoreront pas d'ici là en se moquant de ma déroute.

J'ai roulé encore un peu rue Saint-Denis, sans but ni presse, indifférent aux banlieusards qui ne font que passer à vitesse moyenne, plutôt attentif aux Plateaugraphes des cafés, aux Plateaucoles des boîtes à fleurs et autres plateautypes discrets. À tout moment, fallait me mettre sur le côté pour laisser passer des troupeaux de voitures. Décidément, ma préférence va aux petites rues, là où des dentelles d'enfants de la maternelle, liés par une corde à nœuds, se traînent les bottillons de caoutchouc dans la poussière des trottoirs, où les ouvriers œuvrent, les éboueurs ébouent, les passants passent, portant leur tête effarée des jours de semaine, où des ados jouent aux adultes derrière les hangars, où des vieux, dont certains, monuments de silence acquis à la quasi-immobilité, se consument sur des bancs de parcs, à l'écoute autant que guettés par l'éternité, et se rallient à l'enfance, où d'autres retraités, courroucés dans l'extase du repos, tremblent comme par l'effet d'une rancœur ou d'une frénésie compensatoire, où d'autres encore, beaux fumeurs et grands jaseurs, frappent les dés sur les rampes d'escalier et les bras de galerie avant de jouer, ou donnent un coup de jonc sur la table en laissant tomber les cartes, sans doute pour déloger l'esprit de malchance qui, comme chacun le sait, s'irrite de ces bruits.

J'ai voulu parler de Washington Desnombres à quelques-uns de ceux-là, mais ils se sont déridés de deux dents chacun pour toute réponse, sauf la plus délurée, qui a prétendu avoir vu passer ce bel homme noir à plusieurs reprises depuis quelques jours, et même encore ce matin… « Il portait une casquette qui regarde par en arrière, là, vous savez… Et son frère avait un chapeau avec une belle plume sur le côté.

— Mais non, a corrigé le vieux mari, c'était pas son frère : il était blanc, l'autre !

— Il le tenait comme son frère, je te dis ! Vas-tu cesser de me contredire, vieux désespoir… »

Il m'arrive encore, bien que plus rarement qu'à l'adolescence, de provoquer à dessein en moi, par simple aperçu de l'éternité, des giclées de désespérance, qui laissent dans tout le corps un goût rance d'éphémère en même temps que le frisson tragique et voluptueux de la beauté des choses éteintes. Les sœurs de la Charité, et leurs aumôniers surtout, m'ont terrorisé avec cette image de l'éternité : si un oiseau, disaient-ils, venait une fois par siècle effleurer du bout de son aile la planète, eh bien, quand la terre en serait désagrégée, l'éternité n'aurait pas encore commencé. Les vieux, à cette image, ont grimacé des deux mêmes dents. « Et si dans cette nuit sans fin, ai-je lancé, soudain au bout de son fil, l'éternité se débranchait, ils seraient bien attrapés, nos sermonneurs, vous ne trouvez pas ? » Les vieux m'ont toisé d'un air ahuri. L'un a demandé : « Croyez-vous, vous autres, à l'existence de Dieu ? » La délurée a répondu que ce n'était pas de son ressort qu'il existe ou pas, puis ils se sont tournés vers moi pour me reprocher, à coups de mimiques et d'œillades en coin, d'avoir fait basculer leur tranquillité.

Je suis quand même resté quelques minutes près d'eux, le regard fermé, à imaginer la courbure du temps. Calcul du penchant pour la vie infinitésimale. J'ai enregistré : *vieux / dés / malédiction / indifférence*. L'éclair du polaroïd les a transformés en natures mortes saisies en flou dans leur déclin.

Dans la même rue, j'ai montré la photo à des forces de l'âge, mais j'étais trop perturbé par cette seconde histoire de chapeaux pour prêter l'oreille aux réponses, et eux ne semblaient pas raffoler des poseurs de questions, ou des faux aviateurs à bicyclette, ou des bossus du nœud, je ne sais trop. J'ai été invité à déguerpir de suite et de bon gré.

Ils n'aiment pas trop faire la causette, les Montréalais, surtout quand on ne leur a pas été présenté. Adressez-leur la parole dans une file d'attente ou sur un banc de parc, vous verrez qu'ils préfèrent la fuite à la conversation ; dans le métro, ils descendront au prochain arrêt pour prendre le wagon suivant. La pluie et le beau temps, c'est leur affaire, mais lancez-leur, comme ça, au coin d'une rue, monté sur la bicyclette, qu'il fait chaud ou froid, ils répondront, d'une seule rotation d'épaules, qu'ils le savent. Ils n'ont pas besoin de la parole pour prendre la fuite, ils répliquent par l'indifférence à ce qu'ils interprètent comme de l'effronterie. Vous voulez savoir si un badaud est montréalais d'origine ? commentez le temps qu'il fait ; s'il répond, soyez attentif à son accent qui vous dira de quels confins de la province il débarque ; le Montréalais de souche, lui, tourne le dos, c'est d'ailleurs à ses talons qu'on le reconnaît. Il rentre chez lui et rapporte à ses enfants qu'il a été agressé en plein magasinage par un givré déguisé en aviateur, avec une bosse pointue dans le frontispice de la culotte, et il les prévient contre les inconnus. Mais si d'aventure je rencontre un Montréalais au travail ou chez une connaissance commune, il en parle de la pluie et du beau temps, parce qu'il se délie toujours la langue en parlant de la température qu'il voudrait et du temps qu'il fait trop. On dirait que ça l'aide à faire passer le malaise que je provoque.

J'ai bifurqué vers d'autres artères tranquilles du quartier où, même en saisons incertaines, l'on sort pêle-mêle beaux gamins et mioches mal foutus. Parfois, dans ces rues, on passe devant des balcons de bois qui permettent d'entrevoir à peine, c'est tout là le charme, des enfants blonds éphémères comme des murmures, aux grands petits yeux, assis ou accroupis, qui jouent… on ne saura jamais à quoi. Ou parfois, c'est une clôture qui fait entrapparaître une végétation incontrôlable et des amoureux incontrôlés. Par mauvais temps, des fillettes mal tressées, qui ont de la beauté plein la face, vous plantent au cœur, d'un seul coup d'œil, leur sauvagerie désabusante. Des garçonnets aux tempes rasées les accompagnent, qui redoublent cette maussaderie. On y reconnaît les étrangers au quartier par le fait que leur attention est émue par ce renfrognement. On n'est jamais bouleversé que par l'enfance de l'autre... Dans cet univers de prime jeunesse, je me suis senti pour la première fois épié, même suspecté. Des regards de désœuvrés de ma sorte se plantaient dans tout moi comme des aiguilles. Il aurait fallu comprendre sur le coup que je déambulais sans assez de détachement et de pudeur, que j'examinais tout de trop près, l'air fureteur, sans compter que je jurais au milieu d'une normalité sans casque ni lunettes d'aviateur. Si la folie c'est d'être sa propre norme, alors j'y suis, car je n'ai que peu, trop peu disent-ils, de mesure avec les autres, qui me demandent d'être l'un d'entre eux parmi eux et autre que je suis avec moi-même.

On entre chez les policiers sans plus d'opposition que dans un comptoir postal. Première expérience moins compliquée qu'à l'université. Ça sentait tout à la fois la paperasse et le désinfectant, avec une odeur de jambon cuit en note de fond. Je me suis retrouvé nez à nez avec les patrouilleurs zélés d'hier, la Grosse Fille et le Moustachu, qui, après avoir souligné qu'ils entendaient souvent parler de moi ces temps-ci, ont téléphoné, une vraie manie! pour prendre conseil auprès de la Pyramide avant de m'autoriser à démêler quelques documents, sous sur-veillance, bien entendu.

Ça n'a pas été trop long de retrouver le haïku dans un cahier. Le mot manquant ne changeait rien au point de chute du dernier vers. Le haïku, dont je ne savais maintenant que faire, portait une signature : ISSA. J'ai demandé l'aide d'un diction-naire ou d'une encyclopédie, mais le Moustachu a répondu qu'on n'était pas à la petite école, ni à la bibliothèque, a renchéri la Grosse Fille, puis ils se sont mis à multiplier les questions autour de sujets sur lesquels je ne souhaitais pas les voir se pencher. Ce que je cherchais, la raison de mon intérêt pour ce haïku, qui avait rédigé le graffiti sur le plan mural ? Au début, je me faisais peu loquace, mais quand j'ai compris que ça durerait longtemps si je ne leur faisais aucune révélation, et voyant approcher l'heure de retrouver la Chicagouine à la gare, j'ai consenti à étaler mon hypothèse de l'empâtement du mot final comme révélateur du refuge du Mathématicien. Ils ont ri un bon coup, m'ont harponné aux épaules et m'ont refoulé vers la sortie d'une poussée énergique. Le mot « weirdo » a retenti dans le vestibule ; difficile de dire si ça s'adressait à moi ou au clochard qu'un autre tandem traînait en dedans.

Après le violent atterrissage sur le trottoir, il a fallu me faire à l'idée que la bicyclette s'était volatilisée, même si elle avait été laissée enchaînée à une poubelle publique ; le sac d'ordures traînait sur place, mais le treillis métallique avait disparu. Parti sur le porte-bagages, j'imagine. Le policier de faction n'avait rien remarqué, sauf une bagarre entre Latinos et Jamaïcains, au bout de la rue, aussi un duo de musiciens itinérants et une classe d'immigrants asiatiques qui étudiaient l'architecture et notaient sur des feuilles volantes des détails des us et coutumes de leurs nouveaux concitoyens, oh oui, et un faux aviateur qui avait atterri sur le cul dans ses marches et qui posait beaucoup de questions ! Ce gros agent de police avait trop de muscles et d'esprit pour mon goût. Un autre qui doit prétendre vivre trop au nord du Sud à son goût ou pas assez au sud du Nord, et qui n'assume pas plus sa fonction que le climat. J'ai remis à plus tard de retourner chez les enquêteurs m'épuiser en plaintes et ravauderies inutiles. J'avais juste le temps, en pleine heure déambulatoire du midi, de me rendre à la gare.

À chaque pas selon la jambe, comme on dit en Italie. J'étais si peu habitué à me promener à pied, c'était comme si ma propre marche ne m'appartenait plus. Je ne regardais qu'autour de moi, là où je n'étais plus, là où je n'étais pas encore, là où je renonçais à me rendre, mais jamais sous mes pas. Je m'apercevais cependant dans des vitrines et m'étonnais d'être en forme de ça, sorte de ténèbre chargée d'organes, d'indifférence en dérapage, de faible densité en dérive, de maigre savoir déclos, de creux d'un plein qui avance à bon pas sans pour autant vibrer en société, de mélancolie dont la silhouette racornie porte la marque comme un phare la lumière, de craquement de glaçon dans un verre d'eau plate, de cristallisation d'un manque à dire, de balancier du temps éperdu.

Il y a plein de choses simples que chacun fait et auxquelles je ne saurais m'astreindre, comme de tendre de toute ma personne vers une destination. J'ai plutôt, en tout temps, l'air d'un flâneur qui circule sans but ni raison, sans presse ni allure. Surgissent à tout instant sur ma route des mendiants qui ont plus que moi l'air de se rendre quelque part. Je songeais, pour mes déambulations qui devront dorénavant se faire à pied, à l'idée de recueillir dans le quartier des sacs de prospectus que je tiendrais à la main comme un nouvel achat. Ça me conserverait en équilibre et me donnerait l'air du porteur d'une chose précieuse qui le fait se déplacer.

Sur le trottoir, devant la gare, une Amérindienne dessinait à la craie un Icare au regard d'acier, que la foule piétinait sans guère de gêne. Au quasi-sommet d'un gratte-ciel, un laveur de carreaux, réduit à la taille d'insecte, décrassait des fragments réfléchis de la ville, dont le rassemblement en puzzle exigeait moins de patience que d'imagination. Ni Icare ni moi n'y figurions, ni l'Amérindienne...

Je me suis penché sur un enfant, du genre qui porte

Meilleur avant 20 ans tatoué dans la face, pour lui montrer la photo de Washington Desnombres : « Papa et maman m'ont dit de pas répondre aux monsieurs qui ont une bosse dans le triangle de la culotte », m'a-t-il infligé devant des passants soupçonneux. « Tu as donc une maman ? ai-je renchéri pour désamorcer le drame.

— Pas toi ?

— Sans doute, quelque part…

— Ma mère dit que les méchants, ils ont pas de maman qui les embrasse et qui les écoute. Alors si t'en as une, toi, de maman, tu peux me donner des bonbons.

— J'en ai pas. »

Sa réaction enfantine m'a planté une de ces douleurs dans les tibias ! Je n'avais jamais imaginé la robustesse des bottines d'un enfant d'aujourd'hui.

Je tremblais de plus en plus à mesure que le moment était plus proche de me trouver en présence de la Chicagouine. J'ai eu le temps d'entrer dans la librairie de la gare me flanquer dans l'entreprise infinie de feuilleter un dictionnaire, parmi des taiseux aux bouts d'index usés. J'ai trouvé Issa Kobayashi : *Peintre japonais (1763-1827) de style très personnel et célèbre poète de haïku, disciple de Bashō.* Matsuo Munefusa, dit Bashō : *célèbre poète et moine bouddhiste japonais (Ueno 1644-Osaka 1694), auteur de haïkus. Un grand classique de la littérature japonaise, également bon peintre.* Japon : *Littéralement : lever du soleil.* Ōsaka : *Haute colline…*

J'ai eu toutes les peines du monde à m'extraire de ce piège à compulsifs pour aller, dans le hall de gare, saluer d'un aplomb effronté, à gauche et à droite, des inconnus qui s'embarquaient, eux, pour un ailleurs. Sauf pour le frai, je suis comme la ouananiche, ce saumon de rivière à chair rose qui a renoncé à ses migrations vers l'Atlantique pour s'établir à demeure en eau douce. Le titre d'hurluberlu dont les passants et voyageurs m'affublaient m'allait comme un gant.

Nous sommes passés l'un près de l'autre à plusieurs reprises, comme deux aimants qui se seraient présenté leur face négative, puis, ne pouvant croire que nous étions l'un et l'autre, nous nous sommes tenus dans notre angle mort. Après un temps, cette élégante dans un vêtement moulant, rôdant à l'autre bout du hall, bariolée d'ombre et de lumière, affétée comme une cariatide, a fendu la cohue, porcelaine dans une fonderie de cloches, poussière d'or dans un désert de boue, en laissant derrière elle un remous de regards admiratifs ou envieux. Pas du genre à puer des pantoufles, celle-là! plutôt l'espèce qui te rentre dans le cœur et te fait mal la première fois que tu la vois.

Pour ne pas me compromettre autant que les autres, j'ai adopté un air détaché, presque chiant, comme si je cherchais ailleurs quelqu'un d'autre, ou mieux, comme si je n'attendais personne. Mon admiration se voulait tout intérieure. D'ordinaire équanime devant l'événement, là je m'imitais jusque dans mes contraires. Puis je me suis heurté à son regard! alors elle s'est avancée vers moi, presque à me toucher, et de sa voix moelleuse a poussé quelques mots indistincts se terminant par Rebord. C'était bien elle.

Quoi! C'était elle, dans ce nuage de fumée! «Retard. Pas Rebord, Retard!» J'ai voulu, de nos mains jointes, faire un pont entre elle et moi, mais elle n'a pas le toucher facile. Elle a tendu une main gantée et reculé d'un pas, j'ai fait de même; on aurait dit une diplomate anglaise saluant un as de l'aéropostale. Elle a baissé la tête, et la margelle de son chapeau a couvert ses yeux bleus comme des perles noires. J'ai remonté sur le front mes lunettes d'aviateur pleines d'embu pour mieux goûter l'alchimie de cette beauté. Au bout de quelques secondes, une poussière me taquinait l'œil et une réminiscence assez lointaine me harcelait l'esprit : enfant, chez les sœurs de la Charité, au temps où je rêvais de vivre au plafond, retranché dans la forteresse de l'envers des choses, comme pour me trouver enfin un endroit, je me demandais si, à l'âge adulte, j'arriverais à nouer mes lacets et à rencontrer une autre femme.

Une splendeur comme celle-là, lancinante et redoutable, ça devrait pouvoir se décrire, m'enfin, demain peut-être, à moins qu'elle ne soit plus belle, trop belle ! et mieux faite quand j'y pense que lorsque je l'ai en face de moi… Il faudrait l'évoquer semblable à une déesse aux bras multiples, à la cambrure savante et aux yeux cerclés de khôl, mais dans la même sentence, lui accrocher au cou un panneau de sécurité routière : *Attention, courbes dangereuses,* car son charme irradie au point qu'elle ne cesse d'inquiéter. Elle déconcerte en même temps qu'elle paraît toute faite pour qu'on s'en éprenne.

J'ai plusieurs fois plongé du regard là où le vêtement bâillait, puis dans ses yeux, qui sont des invitations à se jeter dans un puits d'amour. J'ai su à l'instant que j'aurais pu être à sa dévotion, mais que je ne le serais en aucun temps, que contre moi, jamais ne se tiendrait sa chair rousselée, que jamais de ses ailes je ne caresserais les plumes, aussi que tout ne saurait qu'être faux entre nous. Elle n'était qu'une affiche pliable de star en posture hanchée, comme une sculpture de Polyclète, une photo autographiée par un secrétaire chauve, la splendeur d'une étoile qu'on n'aura jamais près de soi. Je pouvais donc m'engouer d'elle ! Disons par parenthèse que je ne puis aimer que l'inaccessible amour enfoui, ou devrais-je dire enfui ? Chez moi, les choses ne sont des réalités que le jour où elles deviennent des rêves.

J'ai frété un taxi, qui s'est engagé dans des rues commerciales, au milieu de faisceaux d'actions et de tant de regards distraits que ce n'en étaient plus. Elle a demandé, le doigt sur le *Défense de fumer*, si ce symbole faisait loi dans l'habitacle. Le chauffeur, un Libano-Tchèque, ou un Irano-Bulgare d'Hep Taxi!, un certain Maïr K. Wolk — signes particuliers : riche d'épaules et de mélancolie —, que je n'avais connu jusque-là que par la radio-taxi, et par son matricule, sans plus, a fait le charmeur en répondant qu'aucune loi ne saurait résister au penchant d'une femme comme elle. Je n'étais donc pas seul à lui trouver cette beauté !

Il trimballait partout dans l'Île, le Wolk, une face chagrinée dont elle n'a plus pu détacher son attention. Elle l'a regardé dans les yeux comme une femme dévisage parfois un homme jusqu'au fond de ses replis. Ça se voyait qu'elle voulait le consoler, sans même savoir de quoi.

Elle a fumé cigarette sur cigarette et parlé tout autant. Elle disait du Mathématicien qu'il était un de ces esprits bouddhiques qui cherchent à se libérer d'une douleur par un détachement du monde, où réside justement la source de ce tourment, et que, pour ce faire, il devait accentuer son détachement, sans trop pleurer misère, et s'en servir comme tremplin pour s'éjecter de la vie.

J'ai dû l'interrompre pour lui demander si elle connaissait l'épigraphe du plan mural que j'avais recopié en fac-similé sur la carte pliante. Devant la reproduction de ce point bien appuyé, de cette tache, au début de l'adresse, qui marquait l'emplacement de la maison, elle a constaté avec moi que le troisième vers s'arrêtait sur la voie ferrée ! « Ce serait dans sa manière que ça signifie quelque chose », a-t-elle enchaîné, puis elle s'est penchée sur Maïr K. Wolk pour lui passer le plan d'une main tremblante et a exigé, enfin, elle a plutôt demandé, la voix câline, mais c'est la même chose, d'y être conduite. « Votre désir… » Je n'ai pas saisi la suite, s'il y en a eu une. On aurait dit qu'une tendresse attendait sous un silence opaque qu'un souffle ne la dégage. Il ne s'est plus prononcé aucune parole jusqu'à la voie du Canadien Pacifique.

Facile d'accéder à la voie ferrée au bout de la rue Marquette — du nom d'un missionnaire jésuite découvreur du Mississippi —, suffit de traverser le parking de la discothèque Le Grand Texas et de fouler le treillis de broche qui fait office de clôture. On a vagabondé à pas rompus dans l'entre-rail, direction ouest vers l'incinérateur municipal, puis cap sur l'est, vers le mât penché du Stade olympique — sorte de totem postmoderne qui exalte et raille tout à la fois la crédulité des contribuables.

Dans le layon des voies, des cloques de lumière dévoilaient des tiges de renouées dressées, dont le nom, si je me souviens bien de l'enseignement des sœurs de la Charité, signifierait « retour en amitié ». Nulle empreinte de Washington Desnombres, comme de bien entendu, qu'une vue morne sur des baraques, des usines transformées en lofts, un château d'eau. Il ventait à détacher les pensées des piétons, ç'a désorganisé les miennes et ç'a fait tournoyer celles de la Chicagouine, au point de l'emporter vers je ne sais où, en tout cas vers là où je n'étais pas. On aurait dit qu'elle avait le regard fourré de rancœur et le cœur hagard. Un peu plus et son univers virait à l'envers avec les feuilles.

Nous sommes repartis, plus soulagé que déçu l'un ; l'autre, je ne sais pas. Elle m'invitait à prendre le lunch dans un restaurant de mon choix, j'ai suggéré Le Pavillon du grand jardin Yu — le jardin de la joie — ou le Blabbermouth, un resto irlandais où l'on sert de la langue de mouton braisée. Elle a préféré le bavardage à la joie.

Devant le Blabbermouth, comme on allait entrer, la Chicagouine a viré sur elle-même à la manière d'un fantassin à l'exercice et elle est retournée vers la voiture-taxi échanger quelques mots secrets avec Maïr-le-Ténébreux. J'ai fait celui qui ne veut ni voir ni comprendre et profité de sa distraction pour exiger une table dans la section non-fumeurs. Le Blabbermouth est un restaurant comme tant d'autres, aux boiseries foncées et mal éclairé. Ils aiment les restaurants sombres, les Montréalais, sans doute parce qu'ils préfèrent ne pas trop voir, non ce qu'ils mangent, mais qui déglutit autour d'eux en proférant des mondanités.

Quand elle est revenue des lavabos, enfin dégantée ! je me suis amusé de deux détails : que nos odeurs se contrariaient — elle était citronnée, je rêvais d'être épicé — et que c'est une femme d'une beauté révisée tous les samedis, avec des lunules dégagées aux auriculaires et des pores dilatés. Par la suite, j'ai compris que son caractère exige certains égards et beaucoup de réserve, qu'il faut lui consacrer son écoute. La plupart de ses phrases commencent par « Moi, je… » Elle est donc victime d'une inflexion complaisante du moi — la maladie des profs, à ce qu'on dit —, la Siebel, et j'ai voulu voir jusqu'où elle irait dans l'attention portée à elle-même. Contre mon habitude, j'ai essayé de la suivre dans la conversation, allant jusqu'à déployer un pitoyable inventaire de bonnes manières et de gentillesses. Elle a dû me croire semblable aux flagorneurs des bars de rencontres. Je lui ai fait face les mains crispées sur les ustensiles, résigné à l'écoute, ce qui n'allait pas me changer.

Je me suis régalé du plat le plus coûteux, dit le Seigneur des agneaux, au milieu de bonnes gens d'affaires rêvant d'un monde sans contraventions et débordant d'échappatoires fiscales. Elle s'est à peine trempé les lèvres dans un bouillon clair, puis s'est remise à chanter des cantiques de science et de raison.

Elle a aussi raconté que cette cicatrice, sur le visage de Desnombres, ça lui était resté d'une mésaventure routière dans la banlieue de Chicago, que ç'avait été la seule séquelle d'un curieux accident d'automobile qui lui avait fait heurter la locomotive d'un train franchissant un passage à niveau, quelques mois auparavant.

À propos du haïku du plan mural, il s'est à peu près dit ceci, elle : que cette figure à dimension fractale, il fallait de fait la supposer apparentée à la forme du haïku, comme dans la tradition spek, moi : que le haïku mural recelait aussi quelques propriétés du flocon de neige, car ce texte n'était pas tombé seul du ciel, il s'accompagnait de haïkus speks reçus par la poste et qui devaient bien être de lui. « Je vous les ferais bien lire, mais je détruis tout, comme la règle spek l'exige, dès après quelques lectures aussi pénétrantes que possible. »

Alors, je n'ai pas su tout de suite pourquoi, elle a expliqué que le fer chauffé tournait au rouge, je crois à 600 degrés Celsius, puis au blanc je ne sais plus à quels degrés, à près de 2 000 il me semble, au-delà desquels il passait à l'ultraviolet, qui n'est pas dans le spectre de la lumière visible, et qu'en deçà des 600, il était dans l'infrarouge et aussi non visible. Elle métaphorisait ainsi les manifestations abstruses de Desnombres qui, pensait-elle, devait s'amuser ferme de notre désarroi. « À moins que ça ne soit sa façon à lui d'appeler à l'aide ! ai-je risqué.

— Moi, je pense plutôt qu'il produit du corps noir qu'il nous demande d'analyser. »

Je n'entrais qu'à moitié dans sa lumière. « Je dis bien du corps noir. » Il s'agissait maintenant d'imaginer un four percé d'un trou minuscule. Si on y portait la température à 1 000 degrés, les parois internes de l'enceinte émettaient toutes sortes de radiations, de l'infrarouge jusqu'à l'ultraviolet, et le trou laissait échapper une fraction de rayonnement mesurable qu'elle appelait du corps noir. « Le problème, ici, c'est que notre spectrographe, par l'effet d'une insuffisance de données précises, ne peut opérer une lecture satisfaisante. En conséquence, on ne sait trop ce que veut dire son charabia… Mais ça ne va pas, Monsieur Rotor ?

— Retard ! C'est la chaleur… ou l'impression d'école, j'ai si longtemps détesté les leçons, la discipline, la voix lasse des maîtresses, la cage d'ennui, les fenêtres closes bariolées de gris opaque, l'air poudreux, la chaleur humide, la flétrissante chaleur qui nous réduisait à l'état de cruches apathiques… »

Dès après un laps de désarroi, elle s'est remise à parler, et si droit que ça m'a troublé. On aurait dit qu'elle voyait à travers ma disgrâce, qu'elle aurait épouillé sans émoi ma face d'écorce et de barbe, qu'elle ne reconnaissait pas en moi le repoussoir qui chasse sur l'autre trottoir les femmes seules et les mères porteuses. Pour ne pas être en reste, je lui ai raconté ce que Jean de La Fontaine faisait dire à Ésope de la langue : qu'elle constitue le lien essentiel de la vie civile, la clé des sciences, l'organe de la vérité et de la raison, que par elle, on bâtit la ville et on la police, mais aussi que la langue est la mère de tous les débats, la nourrice des procès, la source des divisions et des guerres, que c'est l'organe de l'erreur et de la calomnie, que par elle on détruit la ville…
Était-elle comme ça avec tous les autres, si concentrée, si térébrante ? C'est tout ce à quoi je pensais au lieu de me faire un bonheur de son attention. J'ai barboté dans son assiette des morceaux de langue de mouton braisée dont elle n'avait que mordillé le bout. Au milieu du café, nous avons dû quitter le resto en vitesse sous les semonces des non-fumeurs militants rassemblés en horde dans le coin le plus reculé de l'enclos et qui avaient dégainé leurs guillotines de poche.

Deux avenues se présentaient, soit l'inviter à occuper le studio d'enregistrement, soit choisir l'élégante solution d'un grand hôtel, mais je n'ai rien proposé : c'était à elle, me semblait-il, de mesurer les deux cas de figure. Quand elle a demandé à s'installer dans la chambre d'où le Professeur Desnombres avait fui, je me suis contenté de la prévenir d'une maison en désordre.

Comme nous n'étions qu'à un quart d'heure de l'appartement, j'ai cru que ça la détendrait de rentrer à pied, alors j'ai proposé de porter son barda de pièces et de morceaux ; elle a penché la tête sur le côté, les yeux ronds, comme si je venais de proférer une évidence. À chaque pas selon les valises ! Au bout de trois minutes, c'était devenu accablant pour le dos, que j'ai aussi fragile que les pieds d'argile du colosse.

Deux gars et une fille d'Hep Taxi ! se sont tour à tour arrêtés à notre hauteur, le chauffeur pakistanais a même proposé une course gratuite contre la reconnaissance du répartiteur de fins de semaine que j'étais encore, croyait-il, mais j'ai fait l'homme qui n'en porte jamais assez pour s'avouer écrasé. C'était une maladresse dictée par l'orgueil, et ma foi, ça engageait mal la chose avec la Chicagouine que de lui faire parcourir à pied ce secteur qu'elle a réprouvé dès l'abord de la paroisse. Elle a prétendu que le quartier ne méritait le détour que pour être évité, qu'on aurait dit un lendemain de bombardement. Hé ! ho ! là, qui insulte le quartier m'injurie, qui l'attaque m'agresse ! N'était son éclat laiteux plus resplendissant sur ce fond qu'ailleurs, je le lui aurais dit, et comment ! Ah ! et ces bleuets bistrés enchâssés de cils clignants...

Sur le pas de la porte, elle a eu un instant de panique en repérant le mannequin en robe de chambre, la pipe au bec, puis un haut-le-cœur en se faufilant parmi cette affluence de natures mortes en insuffisance d'humanité, dans le reste de l'appartement, qui l'attendaient comme pour une fête-surprise. Elle a lancé deux éclats de stupeur, suivis chacun de roulements de gorge, comme des rauquements. L'une et l'autre épouvante ensemble m'ont contraint à la rassurer et à lui expliquer la stratégie, qui visait à me protéger, en fait, maintenant, à nous protéger, elle et moi, contre les intrus. Elle a consenti à clore les yeux sur les mannequins, dont la constance tient au vide intérieur, a-t-elle pris soin d'arguer, en cachant sa peur devant elle-même d'abord, devant moi par dérivation, puis elle a fureté dans l'appartement, selon toute apparence intimidée par les plafonds de la couleur qui ne réfléchit aucune radiation visible, par l'horloge de table sans aiguilles, comme la pendule de Zola peinte par Cézanne, dans une nature morte dont la reproduction tapisse justement le mur derrière la mienne d'horloge noire démembrée. Ah! la radieuse violence des abîmes!

Elle s'est arrêtée, les mains sur les hanches, devant le fauteuil de barbier, le hamac, le train électrique, devant les affiches du cœur et du cerveau en coupe, la discothèque ethnique, puis devant un graffiti, un haïku imparfait à double titre, mal syllabé et composé sur un mode autosuggestif, un de mes premiers, par bonheur jamais mis à la poste : *Assez de cafard! / Trop cruel pour la santé! / Tenue d'bum obligatoire*, enfin devant des coupures de journaux, montées en fresque murale, relatant quelques-uns des meilleurs canulars : l'envoyé de l'Unesco qui voulait faire déclarer le Plateau Mont-Royal patrimoine mondial, le neurochirurgien converti à la médecine chinoise et le boucher, au jus de betteraves, le vicaire de paroisse qui souhaitait adopter des jeunes Thaïlandais. Elle a rigolé sans retenue, à s'en oublier presque, et j'ai pu entrevoir un coin du cœur qui battait en elle.

Mais ça n'a pas duré. «Moi, je vais vous dire, a-t-elle ronchonné, tout ici fait ressentir la vie comme clandestine! Ce bric-à-brac freine la liberté, si vous voulez mon avis, et la convivia-lité. Il n'y a même pas la place de mettre une table à manger avec des invités !» Impossible de lui donner tort : entrer chez moi, c'est comme qui dirait avoir accès aux arcanes d'un lapsus et se rendre compte que sous le ridicule gît tout un monde animé, décroché du nombre mais vivant, qui attend juste d'être reconnu comme existant. Cet appartement, dans sa circons-tance, doit parler, à qui aurait assez d'écoute, de la rude besogne de vivre à la fois seul et parmi les autres ; je serais moi-même étranger à ce logis qu'il me semblerait que la vie de son occu-pant, c'est de la grosse ouvrage, et que le bonhomme est assez pittoresque avec ça. Je ne me maintiens en ce lieu que parce qu'il m'apparaît qu'au moins j'y suis comme auprès de moi-même. Une telle idée, en vérité, quand c'est à l'état de chose, ce n'est déjà plus une idée. D'ailleurs, plus qu'une idée, c'est ce qui me fait moi parmi tous ceux qui sont d'autres.

«À voir ce fourbi, on vous dirait sans goût, sans manières, sans ambition !» a-t-elle renchéri. On me dit en effet sans manières parce que j'ai celles de tous et sans goût parce que ne montrant celui de personne. Sans ambition, je prétends n'avoir rien raté, et n'envie qui que ce soit pour ce qu'il serait devenu. Jamais chez moi l'enfant ou l'adolescent ne se lève pour exiger des comptes sur ses rêves trahis, ses vocations rentrées, mes renoncements ; je ne sais même plus à quoi l'un ou l'autre de moi a pu rêver, si seulement je me suis déjà imaginé des vies à venir. «Un de vos rêves se réaliserait, le reconnaîtriez-vous ?»

Pour désamorcer la menace de discorde, j'ai proposé qu'on se détende un peu, elle a suggéré au salon. J'ai dû expliquer que le lieu n'était pas fréquentable, à cause du bazar de meubles et d'objets démodés, sans compter les mannequins enlacés sur les fauteuils. Tant de choses, trop de choses, mais jamais assez ! J'ai plutôt offert de préparer ce qui lui servirait de chambre.

Dans le studio, elle s'est étonnée, y allant d'une nouvelle vocifération : « Il n'y a pas de vitre à la fenêtre ! Et pas de barreaux !

— Ah ! ça non, pas de barreaux ! »

Elle a expliqué, l'œil absorbé, qu'elle craignait la ville et son ombre portée, la promiscuité. Je me suis engagé à remplacer dans l'heure la vitre brisée, mais elle avait repéré le plan mural et n'entendait plus mes promesses de confort. Elle consultait l'objet comme de travers. On aurait dit que le plan lui semblait à la fois trop banal pour avoir provoqué tant d'émoi et trop bouleversant pour être étudié de face. Cette fois, on lisait l'inscription, c'était bien un haïku d'Issa Kobayashi. « Moi, je dis qu'on distingue sur ce plan une intervention à laquelle le Professeur Desnombres n'est pas étranger, c'est sûr, je reconnais son écriture. Il a dû passer durant votre absence et il se sera amusé, comme c'est son habitude, à laisser des traces plutôt que des preuves de son passage. Sa vie est toujours ailleurs...

— Mais quel signal nous envoie-t-il ? Je ne comprends pas comment des vers si anciens ! si distants de nous ! par le temps, par l'espace et par la mentalité, peuvent m'aider à le retrouver. Comment expliquer ce surgissement et cette soudaine disparition ?

— Je me demande s'il n'a pas voulu vous troubler pour mieux vous observer. C'est un vieux truc de chercheur scientifique, ça : modifier l'équilibre d'un corps pour assister à sa réorganisation.

— Mais alors, s'il m'observait, il serait là, tout près, et ce serait facile de le trouver.

— Vous le cherchez à l'horizon alors que l'horizon se déplace avec vous. Moi, je crois que vous ne le trouvez pas parce que vous faites comme s'il se situait en un lieu exclusivement.

— Vous voulez dire qu'il aurait la faculté d'être en plus d'un endroit à la fois !

— Washington Desnombres est comme le quanton — mais il faut comprendre cela comme une métaphore —, qui a tendance à s'étaler avec le temps, au point qu'il devient impossible de lui attribuer une localisation ou de déterminer sa trajectoire entre deux instants. Voyez-vous, lorsqu'on est en présence d'une personne, il est vrai qu'elle semble n'avoir qu'un emplacement possible, mais en son absence, ne peut-on l'imaginer un peu partout, peut-être plus concentrée en certains endroits qu'en d'autres ? Nul n'est réductible à une seule place dans le monde.

— D'après ce raisonnement, il serait donc un peu ici même, avec nous !

— N'est-ce pas le cas ? »

J'estropie nos paroles en les résumant, mais je me tiens au plus près de sa pensée. « Si vous courez après le Professeur Desnombres pour lui rendre service, je ne peux que vous suggérer de relire les haïkus qu'il vous a fait parvenir, mais si vous souhaitez le rattraper pour votre propre profit, ce qui me semble plus conforme à votre entêtement, eh bien, ma foi, je crois que vous devriez plutôt le chercher en vous-même. »

Fallait sortir de cette dislocation. Je l'ai donc laissée à son intimité avant qu'elle ne prétexte le décalage d'un fuseau. En sortant, je me demandais si elle se rendait compte que le Nagra, laissé sur la commode, le micro pendant, enregistrait tout.

Je suis parti sur la bicyclette d'un ancien locataire trouvée dans le hangar, une antiquité d'une tonne défraîchie par la rouille et la poussière, faire tailler une vitre aux mesures de la fenêtre du studio. Le mécanisme offrait de la résistance, par bonheur, si je puis dire, je me sentais plus léger que de coutume. Je roulais sans pensées précises, dans une espèce de distraction concentrée, vent en poupe dans l'axe nord-sud, en proue dans les rues transversales. Un soleil blanc et fade, au-dessus d'un brouillard subit, diluait sur la ville son insuffisance, et délimitait à grand-peine les choses de la réalité. Quelque chose siégeait là, dans l'air, disponible et voilé, qui aurait dû me faire songer à ce qui vient de nous ravir enfin à l'hiver, mais je n'éprouvais rien de tout ça. Des gens devaient apparaître et disparaître dans des artères de boucan et de vitesse sans que je m'en rende compte. Je n'ai bientôt plus eu que la Siebel en tête, comme si mes pensées, s'ordonnant autour d'elle, m'évitaient de me cogner à Desnombres. Je suis rentré de la quincaillerie à côté de la bicyclette, la vitre à la verticale sur la selle ; curieuse expérience que de percevoir l'agitation du quartier par cette fenêtre mobile jeteuse de reflets aveuglants…

Dans la cour, force a été de constater que la boîte à moineaux avait été vidée et que deux oisillons gisaient le cou cassé dans la renouée. Le chat Mot, précédé de sa musique, se sauvait en longeant le mur des carmélites ; j'ai à peine eu le temps de le répudier d'un tir de caillou et de tonner, comme un enfant trahi au jeu : « Ne reviens plus chez moi, va trouver ta nourriture dans les poubelles ! » Un certain décor de détritus est resté figé en moi, comme le visage du tueur sur la rétine des assassinés de science-fiction, non pas comme la dernière image reçue, mais comme la première recueillie après ce qui a été refoulé. « Prédateur d'oisillons ! » Mes propres mots m'avaient donc laissé mal à l'aise, mais ce n'était rien là de trop nouveau. « Faire ça à mes moineaux ! »

Il régnait sur la cour un silence de brume. Le dernier oisillon s'avérait manquant ; pas de trace non plus de la mère, ni du père, s'il en fut jamais un du vivant du petit… « si petit-

petit-petit, si petit-petit-petit…» Ah! comme j'aime à feindre de bavarder avec les moineaux.

En me présentant à la fenêtre par la galerie, couteau et mastic en poche, à la manière d'un ouvrier sûr de son métier, je n'ai pas pu ne pas apercevoir la Siebel dans le studio, qui fixait le plan mural à la manière de Desnombres à son arrivée. Comme il n'est rien dont je puisse penser l'endroit sans imaginer l'envers, j'hésite à dire si elle était peu habillée ou très dévêtue. Elle montrait un corps, la Chicagouine! Un geyser de beauté.

Ah! mais non, elle n'allait pas me faire le coup du Mathématicien! J'ai toussoté un peu pour la ramener de sa rêverie et lui ai proposé une virée en ville dès la vitre posée, ou dès après un roupillon qui nous ferait du bien à tous les deux. Nous poursuivrions la recherche de Desnombres et pour ça affronterions la faune de nuit. Elle a accepté d'un ronronnement plutôt facétieux en s'ouvrant d'un caprice : «Moi je suis d'accord, mais à la condition que vous vous débarrassiez du casque d'aviateur, des lunettes de protection par-dessus vos fonds de bouteilles et que vous sortiez de cet affreux pantalon pied-de-poule relish sur moutarde.

— D'accord pour le pantalon, et pour le casque… que je garderai dans la poche.

— Et faites disparaître cette quille de drakkar que vous portez au cou!

— Le sifflet de marine! Ah! non, ça, je ne peux m'en séparer. Je craindrais de ne pas l'avoir sous la main quand il me le faut à tout prix pour appeler le sommeil, ou si jamais je rencontrais… un certain marin et qu'il me faudrait afficher un signe de reconnaissance. Je le porterai sous le vêtement.

— Alors retirez au moins ce coffre à crayons, ce pilier de ciment, ce jésus de plâtre ou je ne sais trop ce que vous avez dans la culotte pour simuler le membre gonflé en permanence! a-t-elle imploré, tandis que je mastiquais la vitre et essayais de récupérer le Nagra en douce.

— Impossible, on dirait que ça ne s'ôte plus tellement c'est inscrit dans ma personne. C'est un vice caché apparu après cinq ou six ans de route…»

Elle a fait une sieste, s'enfermant plus d'une demi-heure dans un somme que ses ronflements suggéraient profond. J'en ai profité pour replonger dans le carnet de croquis à couverture jaspée, avant que les impressions qui accompagnent les faits ne tournent à rebours et ne m'abandonnent.

Ces jours, c'est de plus en plus assuré, d'abord par l'inespéré de l'événement et en dépit de mon désir de marginalisation, ensuite par l'effet démultiplié d'une torpeur ressentie jeune et devenue ineffaçable, ces jours donc sont et resteront pour moi décisifs, bien que je ne sache encore à quels égards, et sans doute à cause de cette absence même de détermination. C'est pourquoi les mots de ces dictées ne sont, à mon entendement, que des sensations éprouvées en un lieu de pur impensable.

Voilà.

DICTÉE 11

Où force sera de supposer que ce qui, proche de Gésu Retard,
cesse d'être, en fait cesse juste d'être près de Gésu Retard

Au réveil, elle s'est recomposée, comme elle a dit, s'est glissée dans un tailleur échancré, puis nous sommes sortis dans l'assombri de la ruelle. Elle portait aux poignets et aux lobes d'oreilles un parfum baptisé *Joie universelle*, en hommage à Rabindranāth Tagore, si j'ai bonne mémoire. Elle avait ajouté, aux ombrés du regard, une petite touche espiègle, de type *petit deux-pièces frais l'été, chaud l'hiver, disponible dès maintenant*.

Rue Saint-Denis, où les expulsés tardifs des bureaux croisaient les errants du lundi soir, c'était procession de bars et de cafés. Le déclin du jour s'est bientôt comblé de gens qui roulaient dans la senteur d'asphalte huilé comme les tumbleweeds des westerns, ces amas de branchages et de foins séchés que le vent fait rouler à l'avenant. Des lampadaires prenaient ici et là des bouchées dans la pénombre. Près de l'entrée de La Cuisse de Béatrice, un bar de rencontres installé en sous-sol, une pancarte d'esprit dantesque prescrivait ceci : *Âmes, jetez-vous ici si vous voulez abandonner votre corps.* Dans l'escalier, des gars répondaient aux sollicitations de prostituées. Ce qui me différenciait de ces fils bien constitués, c'était que, pour ceux-là, un sexe de femme était une entrée courante, alors que pour moi ça n'aura jamais été qu'une issue perdue.

La rue fourmillait d'allumés du soir, qui filaient dans leur superbe comme des paquebots ; ça se devinait cependant que chez la plupart rien ne survenait de ce qui n'arrive qu'aux autres, alors où était l'intérêt de cette mascarade ? que des vies soient par là vécues, des années égrenées, des jours comptés ? Leurs têtes, on aurait dit des dessins d'enfants tracés dans le sable au bord de la mer ; si ce n'était la vague qui les effaçait, c'était le vent ou des pas d'adultes inattentifs.

Nous avons bu de la bière irlandaise et du whisky écossais l'un, l'autre le contraire, parmi des jeunes plus ou moins délurés, selon les cas, qui se susurraient qui des aveux, qui des réserves d'amour. C'est alors qu'elle a semblé se prendre de nostalgie pour son adolescence à Boston, et surtout pour les étés en Bourgogne, à Langres, patrie de Diderot, chez sa grand-mère maternelle ; le récit était beau à entendre, sous son style abondant, un peu baroque, parfois orné, grandiloquent jusqu'à la simplicité, mais elle avait l'air de n'avoir pas la mélancolie assez longue pour rattraper en elle ses dernières pensées sereines. Je me suis demandé si je devais l'envier de pouvoir ainsi rejoindre ses années profondes, puis cet aperçu m'a déserté.

À La Double Croche, on nous a raconté que Desnombres avait joué une partie de la nuit, vers la fin de la semaine dernière, sans doute la nuit de jeudi à vendredi, donc le soir même de son arrivée, mais avec des instruments empruntés qui ne lui convenaient pas trop. Les gars de l'orchestre se souvenaient de lui, surtout le chanteur, un type si divinement éclairé de tous côtés qu'il en avait perdu son ombre, au point qu'on le distinguait au fait qu'il ne portait plus sur rien qui lui soit extérieur : « Ah ! ce Desnombres, quel être diffus ! Vous avez remarqué, quand il vient vers vous, comme il tient sa face peu exposée aux regards…

— Et quand il repart, comme son profil même vous échappe, a raccroché le bassiste à la voix de fausset. C'est un homme qui ne se laisse pas voir. C'est vrai qu'il portait pour jouer une tuque enfoncée jusqu'à la mâchoire et que la gestuelle des harmonicistes fait masque.

— C'est rendre difficile de le bien examiner, sais-tu, a rajouté un autre, à l'accent belge, entre quelques mouillages d'anche et des triolets de clarinette.

— Quand on veut parler de cette sorte d'insaisissable, on n'aboutit qu'à l'impasse ! a renchéri le batteur. Je ne dis pas que le jazz ne l'intéressait pas, au contraire, mais ce soir-là, je crois qu'il a pris plus de plaisir auprès d'une espèce de cow-boy d'opérette, qui portait un grand Stetson blanc, et avec lequel il est parti au milieu de la nuit.

— De toute façon, a repris le chanteur à la voix graveleuse, il est disparu dès le premier soir et n'a laissé derrière lui aucun signe d'attachement, ni d'arrachement.

— Il n'était entré ici que par hasard, sais-tu… »

Il aurait fallu leur répondre que le hasard et l'erreur n'excluent pas le sens, que tout événement semble organiser sa propre histoire dès qu'on l'observe à la faveur d'une illusion rétrospective, aussi que bon nombre de fatalités et de coïncidences, de malentendus, de confusions et de méprises ne sont que des escales sur la route du désir, et que même si au bout du compte aucune réalité ne saurait s'imposer, il faut y croire. Ne pas y prêter foi, ce serait comme de rêver sans illusion. Mais je n'avais pas le courage de subir l'affrontement que cette réplique m'aurait infligé, je me suis contenté d'y penser pour éviter de le vivre ou pour m'interdire de penser à autre chose, comme à ces damnés chapeaux.

D'autres l'auraient vu le lendemain soir à L'Ours qui fume, ou dans la nuit de vendredi à samedi au Ti-Boy, un bar clandestin du village gai, dans l'entrée duquel un néon annonce la sagesse de la maison : *Ils ont le pouvoir et le jour, nous avons le plaisir et la nuit.* On nous a dit, dans ce décor où il y a quelque chose de harcelé, que Desnombres était arrivé tard, chapeauté d'un Stetson de style western, et qu'il n'avait interprété que quelques pièces. Après, il aurait fumé un pétard dans un coin et serait resté seul jusqu'aux petites heures, une aiguille plantée dans l'œil, puis il serait parti avec un type, le genre étudiant du deuxième âge, qui portait une casquette de tweed avec la visière en arrière. Il se serait donc assis là même où nous étions pour tenter de se désapprendre.

Les haut-parleurs dégueulaient des paroles suppliciantes sous une musique d'enfer. Pour ne pas trop détonner dans la bousculade qui tenait lieu de danse, on s'est mis à se tourner autour, avec la Chicagouine, s'accrochant à l'autre par l'épaule et par la taille, une main dans la main, mais rien à faire, on jurait parmi cette bigarrure qui se débattait comme dans un incuba-teur débranché. Sans compter qu'elle se plaignait de doigts de pied écrasés.

Pour couper court à cette torture, nous nous sommes réengagés côte à côte dans la nuit, là où les repères du jour, sou-mis à d'autres lois, paraissent étrangers. Pousser un cri, pousser un silence, c'est tout pareil dans cette ténèbre beuglante toute tracée pour les anonymes. J'ai exhalé, mais il n'est rien sorti de sonore. Pas si grave, mais grave quand même, car cette retenue me venait de ce que je rentrais à côté d'elle, sans songer à autre chose qu'à ce côtoiement, comme s'il n'y avait rien eu d'autre à faire de ma vie. Je chancelais du corps telle une bouteille à la mer, l'axe vacillant.

Les flâneurs avaient le cœur amer. À Québec, les patineurs tricolores de Montréal venaient de perdre un troisième match d'affilée contre les Moutons bleus. Des frustrés de la coupe fracassaient des vitrines de l'avenue du Mont-Royal, couvrant le chuchotement combiné de l'ondée et de la circulation, et fuyaient avec des bagels, des merguez et des baklavas plein la gueule. J'ai réalisé un enregistrement précipité, à mettre sous les mentions : *vitrines / casseurs / faim / fuite*. Le polaroïd nous a attiré des menaces venues d'ombres mouvantes. Je goûte jusqu'à la terreur l'événement qui surgit ainsi sans avertissement, mais préfère quand il disparaît aussitôt.

La nuit, tout raclement trame des échos dissonants. Un pas dans la rue, muet le jour, ici éclate. Le moindre écart lumineux met en alarme. On a l'impression qu'à tout moment, aucun regard humain ne les retenant plus, les façades peuvent s'écraser sur soi. À trois minutes de la maison, des pas venus du noir ont traversé la rue en diagonale, comme en notre direction, puis ont bifurqué pour aller s'éteindre dans une ruelle. Elle a cru un instant que c'était Desnombres, mais la rencontre n'est pas advenue. « On aurait dit sa silhouette », a-t-elle murmuré. Après coup, je me suis rendu compte qu'elle m'avait serré le bras, mais d'une main dont elle était restée absente. Ça me confirmait ce que j'avais déjà pressenti à la gare, qu'aucune continuité ne saurait s'investir entre nous.

L'obscurité porte avec elle et transmet d'étranges passions.

Je lui disais comme je n'avais jamais traversé la nuit sans que ma présence au monde s'augmente ainsi quand, posant le pied dans une flaque d'ombre recouvrant une flaque d'eau, je l'ai éclaboussée de gadoue jusqu'aux genoux. On n'a plus entendu qu'elle jusqu'à la maison.

Nous sommes revenus de la nuit comme d'autres rentrent de voyage. Cette fois, le scotch n'avait pas tenu, l'enveloppe de l'hôtel Primrose était tombée entre les doubles portes. Quand je l'ai eu décachetée, suivant un glissement soudain vers les graves, Siebel a laissé échapper une exclamation caverneuse. Elle reconnaissait cette manie du Professeur Desnombres d'utiliser du papier à lettres ou des blocs rapportés d'hôtels de tous les continents. Le haïku, rédigé sur un feuillet de notes de l'hôtel Paradisio de Naples, portait en lui-même l'adresse :

Abandon me not
Marin de Pelle, ridé mouin
Pasé kalfou sa

La Siebel a voulu, par une nouvelle approche, me donner accès aux soubassements de Desnombres. « À un stade indéterminé de son évolution, son orbite parmi ses semblables a été perturbée, je ne sais ni par quoi ni pourquoi, et il paraît incapable, de son vivant, d'oublier ce dérangement, alors, pour en faire abstraction, il se comporte… disons comme l'eau bouillante, dont la température rejoint petit à petit son état attracteur.

— Quel état attracteur ?
— La température de l'environnement, voyons !
— Mais quel environnement ? De quoi parlez-vous ?
— Monsieur Fêtard…

— Retard!

— … il n'existe qu'un milieu stable qui supprime les écarts de température : à court ou à long terme, la stabilité de la mort l'emporte sur toute autre forme d'équilibre. La vie ne constitue qu'un épisode infinitésimal entre deux portions d'éternité et de non-vie, et Washington semble plus que jamais soumis à cette attraction, en même temps qu'il y résiste, comme par crainte de l'inconnu. Voyez ce qu'il dit : *ridé mouin / pasé kalfou sa : aide-moi / À traverser ce carrefour.* »

Le Mathématicien hésiterait donc à mettre fin à ses jours, et elle, elle le laisserait dériver sans lui porter secours! Rien là comme rien autre chose qui les fonde, elle ou lui, en banalité.

« Évidemment, Washington n'est plus un enfant à qui on peut interdire de courir dans la rue. C'est un joueur impénitent, qui a inventé son propre jeu et qui s'y est laissé prendre. Il faut comprendre que Washington est dans la situation où le jeu domine le joueur, où le jeu se joue du joueur.

— Avez-vous déjà parlé de ça avec lui?

— Ce n'est pas si simple. Il faudrait d'abord construire la signification des sermons à lui adresser, savoir ce qu'ils veulent dire pour lui, et aussi pour soi. Qu'est-ce qu'on attend de lui? Vous-même, par exemple, qu'escomptez-vous obtenir en le retrouvant, son salut ou le vôtre? Qu'est-ce que vous lui voulez?

— Moi! mais rien, c'est lui qui est venu chez moi m'imposer le mystère de sa disparition. Je le connais pas, moi, cet homme-là, il est à mille lieues de moi!

— À mille lieues! Mais ne savez-vous pas que dans l'interaction des quarks, plus la distance est grande, plus la force attractive est considérable?… Dites-moi, pourquoi vivez-vous cet abandon sur un mode si dramatique?

— Sais pas, et de toute façon, si je le savais, ça ne regarderait que moi.

— Pensez-vous qu'il consentira à renoncer à son abandon, si jamais vous le retrouvez ? Croyez-moi, vaudrait mieux vous départir de cette illusion, nous sommes plusieurs à nous être cassé les dents sur la résistance de Washington. Je sais par expérience que son gouffre est attirant, mais c'est un solitaire qui ne partage rien d'aigu avec personne… même dans ses livres, qui ne manquent pas de fasciner, certes, mais qui sont plutôt des vitrines que des lieux d'échange. Au début, y a quelques années de ça, j'ai tenté de l'aider, mais à vouloir le suivre de proche, j'introduisais des perturbations dans son système ; tout examen implique une interaction plus ou moins négligeable de l'observateur avec l'observé. Si je tentais de l'épier ne serait-ce que de loin, même ses gestes les plus simples devenaient aussi peu naturels qu'insaisissables. Il se rendait compte que je veillais sur lui et modifiait son comportement en conséquence. Ma présence le neutralisait. L'entreprise s'avérait éprouvante et trop peu efficace. Puis il s'est mis à me prendre en aversion, et avec le temps, c'est devenu très lourd à porter, trop pour moi. Je me tuais à vouloir le sauver. Si vous saviez, j'ai tout fait…

— Vous étouffiez, dites-vous ! »

Elle a réintégré le studio dans un mélange de mutisme et de réticence. J'ai eu peu de temps pour m'inquiéter de ce développement de la science sur l'infiniment petit et sur l'infiniment grand, dans l'indifférence de l'infiniment moyen.

Au bout de deux ou trois quarts d'heure, passé minuit, tandis qu'aux entrevous du plafond du salon je chevillais des membres et des troncs de mannequins pour créer l'illusion d'une chute collective, elle est ressortie sur la pointe des pieds, le visage griffé par une inquiétude nouvelle, symétrique de son assurance du matin : « L'accident avec le train, qui lui a causé cette cicatrice au visage, ce n'était pas un accident, c'est certain. Mais en même temps, comment en être sûr ? On ne saura jamais ce que l'on sait avec certitude, on ne pourra jamais calculer qu'avec un nombre fini de décimales. Washington Desnombres est pour nous dans un trou noir, derrière l'horizon des événements, ses actions sont focalisées sur lui-même, sur son propre centre. Ne vous approchez pas trop. Comme l'astronaute qui entrerait dans un trou noir pour l'observer, vous ne pourriez en ressortir. Craignez qu'il ne vous entraîne avec lui dans sa démarche régressive. »

Si elle savait ! Je me trouve en moi-même assez désarmé pour ne pas trop redouter ce danger…

« Attention, Monsieur Rapport…

— Retard.

— … lorsque deux systèmes quantiques entrent en interaction, ils ne sont pas longs à ne former qu'un seul système, dont la complexité va croissant, et si ces systèmes se séparent de nouveau et s'éloignent l'un de l'autre, on constate que chacun garde une fonction d'onde globale. Vous n'êtes plus, l'un comme l'autre, du fait même de votre rencontre, fut-elle brève, tout à fait ce que vous étiez il y a peu… »

Soudain, comme harponnée par une intuition, elle a demandé à voir la lettre reçue l'autre jour de ce Chicagouin au nom indéchiffrable qui annonçait la visite de Washington Desnombres. « Vous la trouverez aimantée au réfrigérateur par une représentation de Snoopy en écrivain, avec sa machine à écrire… Rapportez-moi une bière par la même occasion. »

Quand elle est revenue au salon, elle affectait une contenance mi-amusée, mi-songeuse : « Je suis formelle : c'est là aussi son écriture. Il s'est recommandé lui-même auprès de vous. Et cette signature quasi illisible, c'est Fort-de-France, son pseudonyme spek !

— Et quel est le vôtre?

— Denise Diderot… Ah! ça, je n'aurais pas dû vous le dire!

— Mais pourquoi est-il venu chez moi plutôt que chez Tino Mongras, par exemple, ou chez un autre membre du cercle Spek de Montréal, René Picart, le Prince Raté ou Pine Carter?

— Il semble y avoir une espèce de légende autour de vous…

— C'est un malentendu.

— … à cause des canulars, dont vous étiez l'instigateur, comme Tino Mongras le raconte dans son autobiographie, en tout cas d'après ce que Washington m'a dit…

— Son autobiographie!

— Vous n'étiez pas au courant? Ça s'intitule *Tinobiographie*. Le lancement aura lieu cette semaine, je ne saurais dire quel soir au juste. Mais vous avez dû apercevoir le carton d'invitation dans les affaires du Professeur…

— Tino décrit donc nos canulars dans son autobiographie et précise que j'en étais l'instigateur!

— Bien sûr, et le Professeur les commente à profusion, paraît-il, dans *Vérité, t'es virée!*, un essai sur le virtuel qui paraîtra un peu après la *Tinobiographie*, à l'automne je crois, chez le même éditeur, il a dû vous en parler…»

Va-t-elle enfin comprendre que le Mathématicien et moi, on a à peine eu le temps d'échanger deux poncifs et trois clichés! «Mais qu'est-ce que le Professeur Desnombres peut bien écrire sur les canulars?

— Sans doute de bonnes choses, puisque c'est un ouvrage contre les principes de vérité, de droiture, de pureté… Ses marottes, quoi! Et un peu les vôtres, il me semble…

— Vous avez pensé à ma bière?

— Je demanderai qu'on vous envoie une copie de *Vérité, t'es virée!*... Votre bière, elle ne vous a pas entendu dire s'il vous plaît.

— Merci...»

Je ne suis pas du tout équipé pour tenir tête aux bretteurs de la vie mondaine armés de répliques tranchantes ; je serais plutôt du genre léthargique d'esprit et maigre de malice, figure triste et regard halluciné, qui va le lys sur l'oreille et la quenouille au poing. «... pour le livre.»

J'ai continué de composer la chute des mannequins à la voûte en fixant des membres et parties dans une posture de réalité qui fasse douter, non d'eux, mais de la réalité elle-même, et comme la Siebel restait là autour, assise dans le hamac comme chez le gynécologue ou contorsionnée dans la chaise de barbier, un deltoïde dénudé, les couturiers croisés, je me suis mis à lui raconter, éclairé par le proche souvenir des dictées des derniers jours, l'essentiel de ce qui compose ma vie, la naissance, l'abandon, l'orphelinat, la géo, les canulars, Hep Taxi!, Desnombres... J'ai dû lui expliquer que le cours de ma vie, depuis les poubelles des sœurs de la Charité, s'était trouvé balisé par un constat d'abandon, que j'ai maintenu et fortifié, faisant corps avec moi-même tel que je suis, si l'on veut et si l'on voit, et toutes les semaines de m'écrire dans des lieux publics « j'en sais rien si ma mère m'aimait ou pas! » à l'adresse de l'un et de l'autre ou de tous, et quand il n'y a personne, c'est hurlé aux mannequins qui, plus que les uns et davantage que les autres, me soutiennent et eux seuls d'ailleurs, en faisant la vague et en notant mes faits sans qualifier mes gestes, car ils ne savent non plus s'ils m'aiment ou pas, ou peu ou assez. Comme eux, je ne veille qu'à ma conservation, sans raison ni pitié, cependant, même sans vertu ; j'accepte ce qui est et vais jusqu'à ne désirer que ce qui advient.

Ce récit condensé pour la Chicagouine faisait le détail d'une évidence qui d'ordinaire m'échappe : qu'aucune vie n'est ni simple ni rectiligne, que nous sommes tous, les uns, les autres, fragmentés par des réseaux qui nous entraînent dans une affolante diversité. Ah ! cette sacrée dictature du détail et ses alter ego, la tyrannie de l'obscur et le despotisme de l'entrecroisement des faits, grands ou petits, qui ensemble gouvernent la compréhension de la vie !

À la fin, je m'amusais à ne plus être compris d'elle et piégeais mes phrases de ces mots en « oune » si particuliers au parler d'ici : « J'écoute pas les tounes du hit-parade ni les cartouns à la télé du matin, je ne commerce pas avec les guidounes à grosses foufounes des quartiers hot, j'ai pas les moyens de conduire une minoune, de toute façon, je préfère le vélo, je fume pas de cigounes, j'ai souvent le nez et la baboune encroûtés d'herpès, je fais pas le train de nuit avec les moumounes, et oui, j'ai la bizoune enflée depuis l'entrée à l'école… » Puis elle s'est éclipsée sans saluer personne, l'air aussi gouailleur qu'affligé.

« Décidément, vous avez tout du clown perdu au milieu du simoun : un vrai pitchoun ! »

Ils croient donc tous, et elle avec eux, que je vis dans une solitude meublée de fantômes, que je suis mû par une mélancolie soigneuse et attentive, par une exigence de rigueur sans désir et d'aléas sans distraction, à la manière d'un marginal sans empreintes, d'un rebelle sans cause.

Guidé par le principe selon lequel rien n'est plus vivant que ce qui reste inachevé, j'ai interrompu le travail avant la finition de la voûte. Plus tard, je me suis cogné à des meubles qui m'ont fait rebondir de l'un à l'autre, comme une auto tamponneuse, jusqu'à éclore sur la matière d'angle d'un cadre de porte, empêtré dans les mannequins, chez qui la dissimulation a l'air si vertueuse! Je suis assez longtemps resté emmêlé à eux, buté dans une posture dévotieuse, les os centrifugés en paquets mous aux extrémités du corps.

C'est chaque soir comme si je faisais retour sur le lieu de nulle part. À cette heure où je suis tenu à vivre dans un impitoyable état de stupéfaction, qui me confine à l'immobilité de pensée et d'action, tout ce que je peux exiger de moi, c'est d'avoir mon moteur en dedans. Ma véritable, ma seule mémoire, ce serait la reprise ou la répétition, comme si je portais un tambour en tête; c'est pourquoi ma parole manque d'élévation et jette des ombres courtes au déclinant.

Une bobine de musique juive traditionnelle roule et je garde en réserve des gigues du Bas-du-Fleuve. Un carnet intitulé *Mon journal de voyage* prendra le relais du carnet jaspé d'aujourd'hui et des autres d'avant; demain au soir je saurai si ce choix devra être qualifié blague ou prémonition. Ensuite, ça sera les deux carnets vierges à motifs écossais. Et on verra pour la suite…

Voilà. Sifflet aux lèvres, et sifflement de récidive. Psi-îîît…

Jour 6, un mardi

DICTÉE 12

Où Gésu Retard traînera dans le bruit sourd
d'un mouvement continu troué de paroles

J'ai été réveillé par les pierres d'un rêve brutal. J'étais couché sur le ventre, harcelé par un supplice dans l'ensellure. Le mal de dos, le mal de reins, disent certains, c'est comme les phares de bouées qui disparaissent dans le creux des vagues ; on ne sait ni où ni quand ça resurgira, surtout au temps que la tempête dénoue ses reliefs et rompt la perception. Je me suis donc ranimé avant d'avoir fini de me commettre dans un rêve de voix d'enfant glapissant *Laissez-moi sortir ! laissez-moi sortir !* Mon identité oscillait, comme dans le rêve de Tchouang-tseu : je ne savais plus si je me condensais en un enfant rêvant qu'il était Gésu Retard ou en un Gésu Retard s'improvisant sous la forme d'un enfant effrayé.

J'ai eu besoin de ramasser mon cœur qui avait roulé sous

le lit durant l'orage de la nuit. Des larmes de sable me pendaient encore aux paupières quand la bande a déroulé *Wedding of the Winds*, une valse naïve qui accompagne les numéros de haute voltige.

Quand la Siebel est sortie de la chambre, la bande enregistrée la veille et montée sur le grand magnétophone donnait à entendre des bruissements inassignables. Elle a demandé à quoi je travaillais, fallait donc résumer le projet d'encyclopédie. Ma foi, ç'a paru l'intéresser, l'intriguer aussi : « Et qu'est-ce qu'on entend là ?

— Vous, quand vous vous êtes installée dans le studio.

— Vous avez… enregistré ça !

— Ça vous gêne ?

— Moi je… sais pas. »

J'avais juste voulu savoir si la splendeur se détachait d'elle quand plus aucun regard ne la recouvrait… « Et vous avez aussi capté des images ?

— Non, non, pas d'images, juste des bruits.

— Et vous jugez de la stabilité de cette beauté, comme vous dites, rien qu'à l'écoute de l'enregistrement sonore ?

— Ces choses-là s'entendent.

— Et actuellement, vous enregistrez ?

— Bien sûr, avec le Nagra, au cas où il se passerait quelque chose… Dites-moi, ici, que faisiez-vous ? »

Elle ne savait pas trop, alors il a fallu rembobiner l'enregistrement jusqu'au début. Pendant que la bande repassait, elle a petit-déjeuné avec moi, et en a profité pour se moquer du soin que je mets à tout étaler sur la table, les jus, les variétés de céréales, les muffins, les biscottes, les collections de miels, de confitures et de marmelades, géniale invention écossaise qui illumine le bout de pain. De temps en temps, elle jetait un râlement, je ne saurai jamais si c'était dicté par l'étonnement ou par le déplaisir. De retour au même passage, elle s'est représentée, dans le froissement, retirant ses bas. C'était bien ce que je pensais. «Vous voyez, a-t-elle lancé, que ce n'est pas lorsqu'elle se manifeste que la chose existe avec le plus d'évidence, surtout l'événement qui, comme le quark, ce grain élémentaire, ne peut être vu individuellement ni repéré que par ses manifestations.»

J'aurais voulu mieux comprendre les implications de cette remarque, mais elle ne m'en a pas laissé le temps; elle m'a vite repris par le sentiment: «Vous êtes un artiste, a-t-elle tranché, pas un intellectuel ni un velléitaire. Ce projet d'encyclopédie recèle en germe assez de délire pour nourrir une frénésie de créateur. Le Professeur adore les détraqués de votre espèce, on comprend son intérêt pour vous...» Elle fixait le polaroïd du coin de l'œil avec l'air de dire: t'avise même pas d'y penser, mon bonhomme, ou je te casse la baboune et t'arrache la bizoune! J'ai inscrit sur une fiche les mentions: *femme / bas de soie / retirement / électricité statique.*

L'appellation «détraqué» me plaisait assez, surtout qu'elle avait voyagé sur un accent que j'osais croire plus affectueux qu'américain. Dans ce que je suis maintenant, la place occupée par ce qu'elle pense de moi n'est déjà plus négligeable. Quiconque a eu une mère dans l'enfance ou connu l'amour plus tard, c'est sans doute pareil, aura reconnu cet étrange plaisir de se voir châtié par ceux qui nous aiment, ou plutôt par ceux dont nous exigeons qu'ils nous aiment, en raison de notre désir d'amour même. «Et ici?

— Ma culture physique du soir.»

Elle souffrirait donc, la Chicagouine, d'une de ces maladies de l'esthétique qui poussent à des régimes et à des exercices crispants pour répondre à la mode du mince et du long, qui imposent l'étroit et le court; elle serait prisonnière de ce cercle vicieux de la performance et de la séduction compétitive, qui prend le corps pour une machine et impose au cœur un rythme affolé !

« Vous connaissez le taï chi ? » ai-je demandé. Elle a regardé deux fois en moi, non avec passion, mais avec intérêt quand même. « Si vous me voyiez au lever, le matin, vous me diriez experte en taï chi ! » Elle s'est ainsi prêtée une seconde, mais reprise aussitôt, tandis que je bredouillais : « J'aimerais voir ça… » Sur le coup de l'effronterie, j'ai cru l'avoir froissée, mais non ! elle avait plutôt entendu ces quatre mots comme s'ils mettaient en relief ma réserve timorée de tous les jours. Alors, pointant le nez vers mon pic comblé : « Ça doit pas passer souvent la braguette, ça ! » Je ne lui ai donc pas tout dit, hier soir !

Durant le café, projetant sans doute de nous raccrocher à la conversation de la veille, elle a commencé par me sermonner d'un air d'inconséquence qui, en d'autres circonstances, aurait aboli toute possibilité de réplique : « Il faudra bientôt, Monsieur Remords…

— Retard.

— … que vous reconnaissiez pour peu utile, sinon pour vous seul, cette conduite compulsive qui vous contraint à rechercher le Professeur Desnombres. On vous dirait à la recherche d'un enfant qui se serait perdu dans le centre commercial par goût de l'aventure. »

À se demander si la Siebel n'est pas de ces femmes qui détestent l'amitié entre les hommes. « Mais Washington Desnombres a pourtant bien disparu !

— Sans doute oui et peut-être pas. Il se trouve bien

quelque part, alors il n'est peut-être pas si perdu que ça. Pour l'instant, il serait comme ces galaxies éloignées qu'on ne peut observer que dans leur passé.

— Il serait disparu et en même temps il serait toujours présent, comme la porte tournante, si je comprends bien, qui est à la fois ouverte et fermée...»

Elle s'est alors lancée dans un raisonnement inextricable : si tout n'est qu'en partie vrai, donc partiellement faux, comme le prouve sans répit la science, de même que l'expérience quotidienne de la vie en société, il faut adopter l'inverse direct de cette proposition et conclure que si tout est en partie faux, tout est donc partiellement vrai, que si tout est en partie impossible, tout est partiellement possible... Je déteste la symétrie, ce qui la mime ou s'en inspire, et tout ce qui cherche à discipliner la multiplicité et à réaliser la synthèse des opposés! Elle l'a compris à l'effarement de ma tête, mais a choisi de passer outre à cette contrariété. «Pardonnez le syllogisme, je suis structurée à l'excès par le modèle de conjonction des opposés. Science physique et enseignement obligent.

— Curieux! Je vous aurais crue nourrie au zen ou au tao.»

On aurait dit que mes bouts de paroles s'oxydaient au contact de l'air et tombaient en poussière sur le sol. De fait, il y a eu un silence ramassé mais pesant, qu'elle n'a pas pu supporter. «Il se peut, Monsieur Regard...

— Retard.

— ... que la réalité ne se comporte en rien comme l'expérience directe que vous croyez en avoir. Le vasistas de l'entrée, par exemple, laisse plonger dans votre portique, à cette heure du matin, une lumière oblique qui se dresse en colonne de poussière et qui forme un assez joli losange de clarté sur le plancher verni, mais l'expérience montre que si l'on fait passer cette lumière par un minuscule trou carré, elle se trouve diffractée en un halo rond de l'autre côté.

— Je voudrais pouvoir vous suivre.

— Je veux dire que les messages de Washington sont d'une lueur blême et de contours imprécis. Ils forment sur notre esprit de petits halos ronds qui ne révèlent en rien les configurations lumineuses d'origine ni les obstacles traversés. »

J'ai un moment frôlé cette impression de familiarité qui permet d'aimer et de moquer tout à la fois, mais l'idée s'est diluée en moi pour se restaurer sous forme de défiance. « Mais si vous ne le croyez qu'à moitié disparu, que faites-vous donc ici?

— Oh! moi, ce n'est pas la même chose, il y a devoir de mariage.

— Devoir!

— Je devine que cette idée vous choque, mais comment vous dire? l'esprit me parle souvent de lui, sans doute en raison d'un passé commun, mais plus le corps. On chercherait en vain un rayonnement fossile parvenu des tout débuts de l'expansion de cet amour.

— Mais qu'est-ce alors qui vous cloue encore à lui? »

Elle est sortie tout de suite après ce désordre de propos, sans élucider la dernière énigme et sans oublier la main qu'elle avait tenue sur mon genou, celui qui a longtemps tremblé.

Telle était donc de moi à elle la question inépuisable : qu'est-ce qui nous enchaîne à lui? Elle s'en est allée en taxi, par une chaleur de canicule factice, à la police et chez des gens des universités, je crois, conduite par Maïr K. Wolk, toujours lui! tandis que je m'apprêtais à partir sous la dentelle clairsemée des arbres, fidèle à ma compulsion, monté sur une bicyclette aux rouages encrassés, qui exige un effort physique soutenu et la mise en oubli du vélo volé la veille par de vilains voyous. Je vagissais par anticipation d'une ventilation pulmonaire de vieille valise.

Quelle femme, quand même, que cette Chicagouine, qui sait afficher l'allure de ce qu'elle fait, songeuse pour penser, inexpressive pour se contenir, émouvante pour attendrir, distraite pour se rassurer, mondaine pour donner le change. Elle a lancé un inoubliable « Bye-bye ! » le gant sur le chapeau, la tête hors le taxi, la bouche ronde, et d'un grenat ! « À plus tard, en milieu d'après-midi, n'est-ce pas ? »

Difficile de faire abstraction de l'œil vert de Maïr-le-Sombre sous la tignasse et de la voix amoureuse de Siebel, qui affinait ses gémissements en commandant la direction à prendre. Je me sentais abandonné, mais le temps manquait pour y réagir. De toute manière, ça ne m'a jamais été possible de gérer mes chagrins sous le coup de l'éprouvé ; je ne suis pas assez naïf pour estimer que remettre à plus tard n'est pas ma spécialité. Je suis donc parti sillonner le quartier — ça devenait une plateaumanie rassurante, comme toutes les accoutumances —, à la recherche d'une piste menant à Desnombres, mais sans infliger d'objectif plus précis à cette randonnée, pour la raison que les buts qu'on se fixe portent en eux le principe de leur transgression, donc mille détours.

Le souci de la propreté des mains m'a fait renoncer jeune à la lecture des journaux, et par la suite, ç'a été aisé de démordre des informations données sur les ondes radio ou télé. Ce comportement fait maintenant partie de ma lâcheté, j'attends que ce qui me concerne vienne jusqu'à moi par la force des événements eux-mêmes, car les choses importantes finissent toujours par nous rattraper, en laissant dans l'ombre le futile et le frivole de la vie mondaine du siècle. Dans une rue immobile, j'ai aperçu, par la vitrine d'un dépanneur, à la une des journaux du matin, quelques photos plutôt bienveillantes de Washington Desnombres, sous des titres interchangeables qui annonçaient sa possible ou probable ou louche disparition. J'ai acheté le moins souillé des quotidiens et arraché la photo, sans égard pour l'article de la Presse Canadienne.

À la terrasse du Café du bien, qui vend des cafés de partout dans le monde, mais qui préfère l'argent américain, deux baby-boomers attendaient l'ouverture des brasseries et causaient chars, sports et taux de dénatalité, sur fond de pop internationale qui ne veut rien dire — et heureusement parce que ça ne dit jamais rien, sinon toujours les mêmes niaiseries et sans relâche sur les mêmes bo-boum bo-boum à vous désynchroniser le cœur.

C'étaient des gars gras, bons buveurs, roux ou blonds et grands ventrus, en retard dans leurs rots, du genre qui boivent aujourd'hui pour étancher leur soif de demain et qui crachent à dix pas, des frais rasés d'il y a une semaine, des sans-travail qui rêvent de sentir l'usine. Plus ils boivent, plus ils forniquent, plus ils discutent, plus c'est comme s'ils n'avaient jamais assez biberonné, assez baisé, assez jacassé. Le besoin d'amour, cette énigme, les fait parfois larmoyer au bout de leur colère, mais ça, c'est une fois rentrés à la maison…

À la table d'à côté, deux politiciens connus, des citoyens de souche dont les ancêtres étaient bûcherons, en Italie ou dans le Bas-Saint-Laurent, peu importe! comparaient l'irlandaise à l'écossaise, les bières qu'ils allaient déguster plus tard, s'entend. L'un, dit-on, serait assez bon ministre, de type ailier gauche à caractère défensif, qui aime à se bagarrer pour la rondelle dans les coins de patinoires; l'autre serait plutôt du genre recrue prometteuse, un député de belle carrure qui se débrouille dans les deux sens du jeu, mais qui a tendance à avaler la rondelle. Ils m'ont paru pleins de ces qualités et défauts qui rendent semblable à n'importe qui.

J'ai été une bonne demi-heure au moins comme cul et chemise avec les chômeurs et les politiciens du Café du bien, qui s'attardaient surtout, les uns aux brunes des trottoirs, les autres aux blondes à boire. La face de Desnombres leur disait quelque chose, mais ils le prenaient pour un animateur de télé ou pour un spécialiste du cent mètres. Ils avaient dû apercevoir la photo du Mathématicien à la une des quotidiens du matin sans toutefois en enregistrer la conjoncture. Et tout ce beau monde parlait la langue morte des adultes oublieux de l'enfance, alors que devant nous, dans une cour asphaltée, des écoliers vivaient de leurs cris, qui disputaient un match de kockey-bottines ou couraient derrière leur ombre en se demandant « C'est quand les vacances, c'est quand ? » Il tombait sur la récréation une lumière de matinée d'avril, et je me revoyais enfant, chez les Sœurs, comme on se visse au souvenir d'un ami disparu. Ces Plateaulogues, ils connaissaient des bars de jazz qui donnent leur première chance aux amateurs et m'ont confié quelques nouvelles adresses.

Plus loin, j'ai eu moins de succès auprès des membres d'une secte qui, pour vivre en paix, s'efforcent de ne pas réfléchir ni de raisonner, qui laissent leur guide spirituel leur insuffler une panoplie d'idées toutes faites, toutes écrites, publiées et vendues à bon prix dans les librairies ésotériques, ce qui leur permet de résister à la tentation de la pensée singulière, si menaçante ! Ces manipulés qui n'ont pas plus de spontanéité qu'un yack au milieu du troupeau, ces soumis sans trop d'identité qui n'ont de générosité que pour eux-mêmes et dont les miracles sentent le colorant végétal, ils n'avaient rien vu, sinon, la nuit précédente, un firmament immense encerclant une étoile minuscule mais vive. Normal que ce jour-là, sous le ciel exact du Plateau, quelqu'un se soit perdu, et pas n'importe qui, ça allait de soi : une source, un guide, un phare ! À propos, qui étais-je donc pour chercher à renverser le décours d'une étoile ? J'ai dû fuir pour éviter la leçon doctrinaire.

Un avion a flotté au ralenti, sans doute en direction de l'aéroport ; quand son bourdonnement a donné le signal de sa présence, il était encore à venir. Il m'est apparu que c'était un spectacle ordinaire, trop commun même pour avoir été remarqué et enregistré : *avion / vrombissement / présence visuelle / retard.*

La halte suivante, ç'a été Le Macrobiote, une espèce de resto végétarien surtout fréquenté par des Plateauboomers, un buffet voûté d'un chahut de voix et de vaisselle où les infusions infligent des relents de médicament et le végépâté des odeurs de thérapie de groupe dans un local sans fenêtres. J'ai commencé par déplier mon enquête auprès d'un vieil ami à moi, si ça se peut avoir, qui n'accordait son regard à personne. C'était Tino Mongras, le poète dépareillé, qui m'a autrefois entraîné dans le réseau Spek et qui depuis refuse de me côtoyer, même de m'adresser la parole. Tino affiche l'allure d'un pur esprit spek dont la rigueur serait devenue rigidité, c'est un rêveur qui traverse les murs de la réalité, une tête capable qui n'a jamais abdiqué, un singulier personnage qui a donné son prénom à son chien dans l'espoir de faciliter leur relation. Il n'a pas plus d'idées solides que la plupart des gens, mais il les prend au sérieux. C'est le genre qui a le temps dans ses poches et ça compte parce qu'il n'a que ça. Ce tendre sceptique doué d'un peu de malice et d'une portion égale de prodigalité, que j'ai déjà cru trop fier de lui, c'était plutôt un désabusé rempli de mélancolie... Il m'a ignoré, comme si j'allais déranger sa concentration sur les quelques mots qu'il essayait de versifier en trois lignes sur un papier d'un rose cuisse-de-nymphe.

Un chat miaulait au pied du réfrigérateur, j'ai commandé une tasse de lait chaud; on m'a servi un cappuccino dont la mousse ajoutait à l'éphémère de la situation.

Plus loin, la bédéiste de l'autre jour méditait devant quelques nouvelles esquisses d'elle-même en fille de calendrier pour garagiste; décidément, elle savait bien dessiner les masses, les cambrures et les galbes. J'ai jugé inutile de lui tendre la photo du journal. J'ai pris place à côté, près de deux abrutis de tisanes et de yogourt, l'estomac jacasseur et le rictus sévère, qui se gonflaient la veine dans le front pour afficher leur connaissance intellectuelle du plaisir charnel. L'un d'eux racontait avec force détails son aventure amoureuse de la veille, commencée dans le bar d'en face. Je n'ai compris que sur le tard qu'il s'agissait d'une relation avec un homme, quand il a montré en le détaillant le chapeau tyrolien surmonté d'une plume verte que le partenaire lui avait offert contre son vieux béret du temps des collèges classiques.

Ç'aurait été l'occasion de leur montrer à ces deux-là la photo de Desnombres, mais au fond du resto, un rouquin au regard halluciné s'est mis à japper contre le genre humain des injures qui ont terrorisé tout le monde. Ce fauve acajou, on aurait dit qu'un chat sauvage lui avait rongé le cœur. On voyait bien, à l'entendre, que certaines formes de haine ne sont que de l'amour qui a mal ricoché sur des personnes désirées. Mes bavards se sont retirés à l'étage par un escalier qui ne m'inspirait rien de bon, à cause de son étourdissante déclivité et de l'absence de main courante. Faut dire que la phobie de la dégringolade se tient bien accrochée en moi depuis… toujours; alors, au lieu de les suivre, j'ai salué Tino et la bédéiste sur un ton contrefait, et suis ressorti en me lançant dans la bouche des boules de menthe enrobées de poils de chat.

Dans la même rue, un homme au visage meurtri tempêtait avec rage, prosterné dans les bas degrés d'un escalier extérieur, cependant qu'en alternance il adressait des dévotions au bienheureux frère André, le modèle des âmes modestes. Je lui ai mis sous le nez la photo du journal et lui ai demandé s'il avait déjà vu ce Washington Desnombres. Il a répondu qu'il aurait voulu avoir vu n'importe qui, n'importe quoi, qu'il n'y voyait plus et que ça ne lui laissait aucune raison de vivre, puis il a escaladé les marches de façon décousue. Comme j'allais tourner au carrefour, il a déboulé l'escalier en jurant de rage parce que ça ne le tuait pas. Une autre fois, la délivrance. Ma déambulation a longtemps ruisselé d'une sueur qui était salive du désespéré.

Des gens arpentaient les trottoirs à vitesse inégale, certains sourcillaient en groupes au ixième passage du cycliste pied-de-poule à l'air plutôt louche sous ses lunettes d'aviateur. Je ne repassais de toute évidence par ces lieux pour aucune autre raison que celle-là, entretenir et revoir ces sourcillements. Mais j'en ai oublié plus là-dessus que ce que j'en dis.

J'ai en fin de compte résolu de m'informer auprès de quelques musiciens de bars qui habitent le quartier. À cette heure, ils devaient être enfin debout. Le premier, que j'ai réveillé, a été prof d'histoire à l'université et a quitté ce milieu un jour qu'il s'est levé pour dire quelque chose d'intelligent et qu'il s'est assommé sur son propre plafonnement. Il avait fait de la musique avec Washington Desnombres deux ou trois nuits, à La Flûte en santé, un club qui marie le jazz à cordes et à vents, les drinks rave arrosés en douce de scotch et l'illégalité des bars sans permis. « Il est toujours reparti sans avertir, ce Fou-des-Îles, avant la fin de la nuit, jamais avec le même type et sans dire s'il reviendrait le lendemain. Son truc à lui, c'est les chapeaux, vous devez savoir ça. Il aimerait bien le vôtre, tiens ! Il porte toujours un couvre-chef enfoncé sur la tête, quand il monte sur scène, jamais deux soirs le même, si j'ai bien compris, et il fait l'échange de ces chapeaux avec des jeunes amis de rencontre. Le premier soir qu'il est venu à La Flûte, il portait une casquette avec la visière sur le cou ; le deuxième, un chapeau genre tyrolien qui lui donnait un air de touriste des années soixante ; le troisième, un béret je crois…

— Avec une plume verte sur le côté, le tyrolien ?

— Oui, avec une plume verte, il me semble. C'est le soir qu'il est parti avec l'avocat… comment s'appelle-t-il ? j'oublie toujours le nom de ce type-là ! Un assoiffé de réussite, de l'amour-propre plein la face ! et qui laisse de généreux pourboires aux musiciens… »

Victime du hasard et de mes vertiges, j'ai couru d'une traite jusqu'au Macrobiote, mais la clientèle s'était recomposée, même à l'étage, et le personnel ne connaissait pas ou feignait de ne pas connaître d'avocat avec un ego comme ça ! qui venait manger dans ce trou à tofu, qui était même là quelques minutes auparavant et qui portait un chapeau tyrolien à plume verte.

Alors je me suis rendu chez une guitariste à la voix rauque, assez connue dans le milieu, semble-t-il, qui adapte en jazz des chansonnettes des années yé-yé. Quelques larmes de fatigue stagnaient sur ses joues fanées. Ça m'a eu l'air d'une âme inquiète au cœur tendre, une amoureuse prédisposée à la souffrance. Elle expie d'avoir connu, au sens biblique, un clarinettiste belge, sais-tu, et elle vit sans partenaire pour un despote sorti de ses entrailles, qui ne sait faire qu'une chose seul, ouvrir la télé, qui doit être conduit à l'école le matin et repris le soir, accompagné aux cours de saxophone le mardi, chez la thérapeute le jeudi et à ses matchs de hockey ou de baseball le samedi, selon la saison. On la reconnaît, la guitariste, à la carte d'abonnement au réseau de transport métropolitain qu'elle s'est fait tatouer dans la main. Desnombres l'avait accompagnée pour quelques chansons, le soir du béret, mais elle n'avait pas eu le temps de le fréquenter pour de vrai. Il était arrivé tard et était reparti tôt avec un chauffeur d'autobus ou de métro en uniforme.

Il m'a semblé qu'il n'y avait plus rien à glaner dans cette corporation de travailleurs autonomes, valait mieux rentrer. Rue Saint-Denis, c'était la *passagiera* assise, comme dans l'Italie profonde, sauf que chacun voulait se faire voir, non pas déambulant fièrement en famille sur les trottoirs, mais attablé avec des amis sur les premières terrasses du printemps. Ah! comme j'aime ces névrosés de beau temps et comme je m'en fous! Ils ont une fesse sur la glace, l'autre sur le radiateur et sont contents de la température moyenne au niveau de la raie. Encore et toujours des images, réelles ou virtuelles, quelle différence? qui partaient encombrer l'espace-temps.

Un distributeur de prospectus, qui accrochait au pare-brise des voitures le menu du midi d'un resto marocain, le Djebel ou le Rif, je ne sais plus, a reconnu Desnombres sur la photo, mais il le prenait pour un évêque d'Afrique du Sud. C'était comme si je ne marchais pas en direction de ce que je cherche ; je longeais plutôt la chose en parallèle ou tournais autour sans m'en apercevoir. Comment se faisait-il que je ne trouvais pas cet homme qui semble avoir une vie sociale agitée dans un milieu très étroit et qui vient presque chaque jour à la maison porter un haïku ?

Parfois, un goût de folie me traversait l'esprit, une envie de soupirer à fond et de sourire, comme ça, sans raison, mais alors un marginal plateaupathe, un fêlé bramant à tous venants, un rasé du bol, un junkie, un plus exclu que moi me retournait à ma gravité en faisant peser sur mon imaginaire le poids d'une faune de gueux dans une ville de preux. Mon affection va à ces cas particuliers qui confirment la règle de la moyenne et le principe de la banalité, dont la vie est une purée de mésaventures, de déveines concentriques, abyssales, comiques. Je suis avec eux, avec elles, ceux, celles que la chance et la loi ont abandonnés, mais je donne peu à ces semblables d'esprit parce que je ne possède rien qui se puisse offrir, pas même un regard de face, une main chaude ou une phrase amicale ; frappé de dénuement et d'une extrême réserve, je ne suis pas du genre à tendre une main futile à ceux que la faim mutile.

On me trouve donc, dans le spectre de la désinvolture, quelque part entre ironie et marginalité, qui s'érigent toutes deux contre les violences du genre humain. Mais ce détachement, qu'on n'aille pas croire, ça ne me déprend pas, ni personne, des travers de la civilisation qui torture et qui tue, du progrès qui nous fait reculer, du néolibéralisme qui nous appauvrit, de la justice qui joue notre sort aux dés.

Il semblait déjà évident que je ne sortirais pas indemne de ces randonnées répétitives, jamais tout à fait consommées. J'ai dû pousser la bicyclette à cause d'éblouissements et de vertiges. Je croisais des castors, des queues de renard, des cols d'hermine, parfois une main débordait d'une manche et me tirait par le casque, puis c'étaient des mitaines en cuir de cochon fourrées de lapin qui me poussaient, des bottes de loup-marin qui me faisaient un croc-en-jambe. On me criait : « Rentre ta bosse, Carabosse ! » « Cache ta matraque, le maniaque ! » « Serre ton manche de pelle, sac à poubelle ! »

Des tessons de bouteilles saillaient aux coins des ruelles, que je frôlais du visage en me recevant sur les coudes. L'haleine de la ville se donnait aussi fétide que la gueule d'un assassin d'enfants. Ma pensée faisait des bonds quantiques entre des bribes de films d'horreur, certaines premières pages de quotidiens à sensation et quelques souvenirs inclassables.

Pour brouiller mes propres pistes et rentrer mes culpabilités, j'ai acheté un exemplaire de *L'Itinéraire*, un mensuel écrit et vendu dans la rue par des sans-abri, que j'ai lu en diagonale, cependant que je marchais droit dans mon sillon.

Tout à l'heure, je suis rentré l'échine craquante, les épaules et le cou cimentés, la tête lourde comme la branche ployant sous le verglas, la cargaison à fond de cale. L'enveloppe du Primrose était au rendez-vous, qui portait un feuillet du Downe Hospital, de Downpatrick, en Irlande du Nord :

> *pou le Marin bousculé*
> *Va, adieu foulards*
> *Les wagons crient, passent et vont*
> *And yet I remain*

J'ai voulu partager ma lecture avec Siebel, mais la porte du studio faisait barrage. Ne sachant trop si je devais frapper, j'ai commencé par aller l'épier de l'extérieur. Elle faisait la sieste dans un chemisier ouvert, la tête enfouie dans son casque de rousseurs. Ses mouvements, dans cette soie... une eau frémissante! Elle exhibait une cuisse ouverte, l'autre fine, un pied bronzé, l'autre pointé, une main renversée comme un oiseau blessé, l'autre animée par les soulèvements de la poitrine. Il y a, dans l'appareil de cette beauté, quelque chose d'émouvant, en plus de désirable. Elle montre un squelette parfait, une chair douce, un souffle parfumé et un esprit juste, les quatre qualités du calligraphe traditionnel chinois. Une brise est descendue de sa hanche, a avalé une larme laissée là par hasard et a lancé une passerelle dans la lumière du jour, mais cet appel ne m'était pas destiné. Je suis un temps resté sans parole, comme la figure millénaire du sage Amérindien dont le silence compose la pierre angulaire du caractère.

On aperçoit, à l'occasion, par quelque déchirure de la réalité, surtout lorsqu'elle paraît en arrêt, ce qu'est le vrai présent, celui qui inscrit de la durée dans le corps et dans les actes, dans la perception, lorsque les temps latéraux se soudent. Je voudrais avoir tenu ce moment plus longtemps.

Puis j'ai enregistré les bourrasques sous les mentions: *orage / seize heures / chemisier / béance*. Je dois en finir avec cette besogne d'encyclopédiste et dès que possible, par une préface, rendre intelligible le dispositif de description des bruits quotidiens. Une fois cette étape traversée, ma compulsion amputée, j'entreprendrai de raconter le reste de mon histoire, s'entend ma vie d'avant Desnombres, pour en faire un ouvrage en de nombreux tomes de plusieurs chapitres qui porteront des centaines de personnages et une douleur. Ceux qui m'auront coudoyé durant ces années ne s'y retrouveront jamais, ne reconnaîtront pas l'histoire, au mieux n'y comprendront rien.

Je me suis retiré pour continuer de rapporter l'écoulé de la journée dans *Mon journal de voyage*; j'écris dans la chaise de barbier, au bout du salon, sous la nouvelle voûte en trois dimensions, qu'il conviendrait de peindre en marine et saumon, ou épinard et carmélite, ou tango et mastic.

Voilà.

DICTÉE 13

Où il sera donné à Gésu Retard d'entrevoir par l'épreuve
que celui qui s'enferme dans le sens périt par le sens

Je suis détenu derrière les barreaux, à la centrale de police. Ça m'avance bien! On m'a tantôt rendu le carnet intitulé *Mon journal de voyage*; ce choix était donc aussi prémonitoire que ridicule... Ce n'est pas que je n'aurais rien à écrire tout de suite sur ma cellule ou sur mes nouveaux voisins, mais pour autant qu'il tient à moi, je prendrai d'abord le temps de revenir sur la façon dont cette détention s'est décidée. Sur un chapelet de malentendus.

Après le dernier bout de dictée de l'après-midi, je me suis trouvé étourdi de fatigue, au point de m'entortiller dans le hamac de résille pour faire la sieste, mais ça n'a pas duré. J'avais la respiration si malaisée qu'il a fallu renoncer au balancement maternel du filet suspendu pour plutôt aller m'étendre par terre dans le vestibule, le nez sous la porte. Me suis endormi après avoir capté des gorgées de vent et relu certaines pages du *Kāma Sūtra* sur les épouses des autres. Le livre m'est tombé sur la face. Dix minutes plus tard, à peine — impossible de dormir longtemps d'une traite —, me suis réveillé le nez dur, un aphorisme sur le plaisir imprimé dans le front. Contre toutes les règles établies, la fabrication d'un haïku pour la Siebel s'est imposée. C'était tricher, car ni la Chicagouine ni l'événement de sa rencontre ne sont parés d'ordinaire :

> *Je n'espère rien,*
> *ombre vive au fond d'un puits,*
> *si ce n'est ta soif.*

J'ai médité sur cette version temporaire en écoutant *La Dissection d'un homme armé*, six messes reposant sur une chanson bourguignonne des débuts de la Renaissance, d'après des manuscrits anonymes découverts dans la Bibliothèque nationale de Naples. Me sentais encore plus chargé de présent que de coutume — bien que toujours vide de passé et d'avenir. C'était comme dans ces films hollywoodiens, quand une famille heureuse, entassée dans une automobile désuète, plaisante et chante en canon des chansons joyeuses ; sur leur route, c'est infaillible, on le sait, un malheur viendra contraster les émotions.

Cette fois, ç'a été sous la forme d'une visite inattendue qui s'est déclarée à la porte comme un incendie de forêt ; c'étaient l'inspecteur Pyramide et quelques porteurs d'uniforme, des gens qui savent, si on voit ce que je veux dire, et dont les savoirs ne sont jamais en crise, qui venaient réanimer le dialogue sur ce qu'ils appelaient l'affaire Desnombres. « On n'a toujours pas mis la main sur le Mathématicien, voyez-vous, et on aimerait bien vous poser quelques questions à son sujet, aussi au vôtre et à celui de Siebel-Desnombres. » Siebel a surgi de la chambre avec son air de lit défait, elle n'avait ni réharmonisé les bouclettes de son front, ni corrigé son débraillé, ni raffermi son regard, ni même ragrafé son chemisier. La Pyramide, sa configuration d'esprit aidant, a flairé le triangle amoureux. « Tiens ! La physicienne qu'on cherchait dans les grands hôtels ! Je comprends des choses, maintenant... » Il nous désignait en alternance du nez et de l'index, elle à la hauteur du chemisier déclos, moi de la protubérance pubienne. Siebel a balancé aux policiers, furie de griffes et d'insolences, une pleine bouche d'injures, qui en partie ont embrasé mon agressivité de toujours contre les représentations d'autorité, en partie m'ont causé un mélange d'embarras et de chagrin, surtout quand elle a soupiré : « Vous croyez que moi... avec lui ! »

Ils ont tous vu mes traits se dissoudre, sauf elle, qui me tournait le dos, comme si je n'étais pas digne de recueillir son mépris de face. J'avais l'impression de ne plus peser sur la terre et de ne tenir debout que contrebuté par la table de la cuisine. Sur le coup, j'aurais préféré avoir traversé un grand drame humain au lieu de ça, l'exil, la faim, la guerre à la limite, quelque chose qui ferait qu'à compter d'ici et de maintenant, tout vécu ajouté m'apparaîtrait comme une valeur de surplus, pas au point de constituer le comble d'une vie, certes, je n'en demande pas tant, mais quand même, quelque chose qui me permettrait de hurler dans le demi-jour : *Je devrais être mort et pourtant je vis quelque chose !*

« On vous emmène tous les deux pour interrogatoire. Prenez vos papiers et quelques affaires. » Le gros enquêteur devait connaître le dicton italien qui dit qu'un perroquet parle mieux quand il est en cage. « J'aurai assez du Nagra et du walkman.

« — Prenez quand même quelques vêtements de rechange. »

J'aurais dû mieux réagir, moi qui n'en étais pas à ma première arrestation. Y a des jours, comme ça, où n'importe quel livre ouvert au hasard sait mieux que moi ce qu'il faut penser. J'ai mis trois morceaux de ma ravauderie dans un sac et me suis laissé encadrer par des uniformes, pas le choix. Et pas moyen d'échapper à la dévoration en leur faisant croire, comme Ulysse au Cyclope, que mon nom est Personne.

Tandis que certains fouillaient l'appartement, nous avons été emmenés hors la maison, la Siebel et moi, comme on voit au cinéma muet des personnages être avalés par une trappe. Ils m'ont enfermé dehors, croyant battre ainsi en brèche chez moi toute volonté de résistance. Sur la rampe d'escalier, qui se tenait en déséquilibre, l'oisillon mal plumé pépiait son désarroi, pendant que dans l'herbe longue d'un pied de clôture, le chat Mot se tenait aux aguets, raide comme un canon. *Vole, moineau, vole pour toi et moi, va survoler le monde comme le soleil autour de la terre et reviens me dire ce que tu auras vu, et méfie-toi du musicien Mot et de ses grelots charmeurs.* L'oiseau dardait l'air du bec et de la queue. *J'irai, mais toi, attention à ce que tu diras, méfie-toi des mots...* Ils nous ont fait passer sans ménagement, chacun dans sa voiture de patrouille, vers d'autres labyrinthes urbains, alors que derrière, du moins je veux l'imaginer ainsi, une volée de roselins, d'étourneaux, de mainates, de chardonnerets et de moineaux effrayés s'est élevée pour rehausser le décor d'un effet de contraste et que des branches se sont un peu resoulevées.

Cette ville, plus j'en connais par cœur les replis et les sinuosités, à cause de la fonction de répartiteur, plus j'ai d'aisance à situer le contexte d'une maison par son seul numéro, plus les façades me sont familières, bref, plus elle m'est connue dans sa matérialité, plus sa face intérieure m'échappe et plus ma propre Montréalie se soustrait à mes prises. Mais à tout bien considérer, ici ou ailleurs, tout paraît destiné à me demeurer étranger, comme si je n'étais le produit d'aucun lieu auquel je puisse m'identifier. Je demeure au fond de moi-même un exilé, où que je sois.

Parce qu'ils étaient surpris d'un autre point de vue, celui de la patrouille de police, de nouveaux clochards se déclaraient à mon attention, de nouveaux travailleurs du matin sous ceux que je croyais connaître, de nouveaux écoliers, de nouveaux crimes de rue.

À un carrefour, un enfant aux yeux noirs a surgi à contre-sens monté sur un vélo de course, fulgurant comme un angelot tutélaire, et a marqué l'ouverture du drame en frappant sur le toit de la voiture du plat de la main à trois reprises, vociférant des « suppôts de justice ! assommeurs de gagne-petit ! », puis il est disparu, Zorro cultivé en culottes courtes, dans la poussière de l'angle mort. Ou peut-être a-t-il crié « maudits chiens sales ! », je ne sais plus…

Tout m'enveloppait d'étrangeté, mon sillage se refermait plus vite qu'à l'ordinaire. Plus rien ne paraissait quelconque, même la chose la plus banale, et tout semblait plus digne d'intérêt que les autres jours, la main tendue du coursier, le cuissard du pâtissier grec, l'affiche trilingue de l'itinérant. Il allait se passer quelque chose, car ce qui se trouvait sur ma route ne venait plus de moi. Ça doit être ça, partir. Les casquettes à gyrophares ont échangé des mimiques entendues de Plateauphobes.

M'a de nouveau cinglé, mais avec plus de cruauté que

l'autre jour au Café Ollé, l'image d'une ville englobant des tas de paroisses fourmillant de gens et à chacun d'entre eux correspondant une histoire avec des épisodes et dans chacun de ces épisodes des lieux et dans ces lieux des individus et dans ces individus des histoires et dans ces histoires des villes... Sans compter les personnes dans les personnes et les histoires dans les histoires et les villes dans la ville. Celle où l'on m'amenait m'était si infamilière, sous sa forme de grand immeuble lissé de barreaux rouillés aux étages supérieurs, qu'elle allait m'échapper pour l'essentiel. Des jours de deuil noir semblaient vouloir succéder à des jours de deuil blanc.

On m'a laissé longtemps mûrir entre quatre murs, dans une salle meublée d'une table et de quelques chaises, trois longues de ces heures qui en valent toute une chacune, durant lesquelles on m'a confié à la compagnie de deux gardiens, l'un à l'esprit lent comme un pou dans la mélasse, du genre à s'ouvrir la porte sur le nez, qui ne savait rien et ne voulait rien savoir, l'autre qui parlait comme un biscuit chinois : « Consolez-vous, les plus jolis oiseaux sont en cage. » Puis il restait figé avec l'air de vouloir ajouter un développement à l'adage. Un quart d'heure plus tard, il partait sur une autre piste : « Qui a soif rêve qu'il boit. » Ç'aurait chaque fois été le moment d'avoir autre chose de pressant à faire.

C'était donc lendemain de défaite du Bleu-Blanc-Rouge et les policiers de Montréal avaient la brusquerie facile. Quand enfin ! on m'a fait entrer dans le bureau de la Pyramide, j'ai eu la surprise de me retrouver auprès de la Siebel, qui semblait traverser une épreuve. Un acolyte de l'Inspecteur, dont j'ai senti à l'instant même l'hostilité, achevait d'informer la Physicienne qu'il avait mis sous surveillance La Double Croche, le Ti-Boy,

La Flûte en santé, même La Cuisse de Béatrice… « Vous perdez votre temps, a lancé la Siebel, si quelqu'un a vu Washington à ces endroits, il n'y sera plus visible.

— Et pourquoi ça, s'il vous plaît ?

— Je ne saurais l'expliquer sans mettre des équations sur la table, alors contentons-nous de dire que je le sais. Washington ne se rattache plus à rien, il a perdu son énergie de cohésion, il se démembre et se fond dans ce qu'il touche. Il se trouve partout à la fois et nulle part en particulier.

— C'est amusant dans les romans de science-fiction, ça ! a vociféré la Pyramide, mais moi, voyez-vous, pour retrouver votre mari…

— Oui, je sais, il vous faut maintenir une conception plus avérée de la causalité.

— J'allais le dire… Mais enfin, Washington Desnombres a disparu, oui ou non ?

— Disons qu'il est bel et bien absent.

— Et qu'est-ce qu'il vous faut pour qu'il soit disparu ?

— Qu'il réapparaisse, ça va de soi, alors il aura été disparu et le dossier se sera clos de lui-même. »

La Pyramide et l'Acolyte échangeaient des regards de patineurs olympiques tombés sur les mains au milieu des figures imposées. « C'est vrai que Washington Desnombres a été vu en divers endroits et par plusieurs personnes.

— Quel Washington Desnombres a été vu ? a demandé la Siebel.

— Comme s'il y en avait plus d'un !

— Mais bien sûr qu'il y en a plus d'un : le mathématicien, le philosophe, le dopé, le poète, le musicien, le gai, le mari, le voyageur, le prof, le rêveur de nuit, le rêveur éveillé, celui qui heurte les trains avec sa joue et sans doute d'autres que je ne connais pas. Et qui l'a côtoyé ? un artiste de la trompette, de la seringue ou de la fellation ? Dites-moi qui l'a aperçu, je vous dirai quel Washington Desnombres existe toujours et se cache.

— Mais s'il se cache, pourquoi fréquente-t-il des lieux publics ?

— Parce que seul, il n'existerait qu'à son propre regard, ce qui serait trop peu pour n'importe lequel d'entre nous. Rien ni personne n'existe jamais indépendamment de l'observation qui en est faite... »

Ils ont renvoyé la Siebel, qui leur arrachait toute patience ; sont pas du genre, ces deux-là, à pencher du côté où ils risquent de tomber. Je me suis donc retrouvé seul face à l'Inspecteur et à l'Acolyte, qui se sont d'abord bornés à évoquer la disparition de Washington Desnombres sous l'angle d'une extrême gravité. Puis la Pyramide s'est fendu d'une envolée dont les ressorts m'ont échappé ; il ne comprenait pas plus que moi mon intérêt pour le Mathématicien et a voulu me faire dire d'où ça venait.

Moi qui depuis toujours maintiens comme une accoutumance de ne m'interroger que sur ce qui m'intrigue sans trop me bouleverser, ce qui me range du côté de ceux dont le regard ne comprend rien avec certitude, je me trouvais décontenancé par cet interrogatoire vétilleux, avec des sous-entendus acérés. Je ne comprenais rien à mon propre intérêt pour Desnombres, « rien du tout, je vous dis », même que je me suis toujours séparé sans problèmes de ceux qui m'ont approché, « sauf pour un autre cas ».

« Comment se fait-il que vous ayez eu en votre possession les passeports de Washington Desnombres ? » demandait l'Acolyte, qui voulait à tout prix me faire parler, comme si j'étais un être de conversation. « C'était chez moi, dans ses affaires...

— Et comment se fait-il que ses affaires se soient retrouvées chez vous ?

— Parce qu'il les y a laissées.

— Même ses harmonicas !»

Habitude détestable : quand les gens me parlent, je demeure plus attentif à ce qu'ils sont qu'à ce qu'ils disent. L'Inspecteur est d'un type assez intéressant, pervers comme il se doit et plutôt disgracié par une corpulence adipeuse qu'il transporte avec des han de haleur de péniches. En conséquence, il se déplace et remue le moins possible, mais attention, quand il s'approche, il grossit au fur et à mesure, même qu'il n'en finit plus de prendre du volume ; d'une fois à l'autre, on dirait qu'on ne se souvient plus de son cubage. Il est aussi du genre à conserver, en toute circonstance d'enquête, et surtout durant les interrogatoires, une certaine épaisseur émotionnelle sans jamais trop nommer la chose, événement ou sentiment, à quoi il fait référence. Son regard, comme celui de certains portraits peints, l'*Homme nu accroupi* d'Egon Schiele, par exemple, ne quitte jamais son observateur ; vous vous déplacez devant lui, il ne vous perd jamais de vue. Ça me paraît une technique pour faire parler.

L'autre, l'Acolyte, celui qui mange des hamburgers oignons-moutarde en produisant des miouf et des flac, il n'est que crocs et canons, dents de couteaux et yeux de fusils. Celui-là, on le dirait de ces gens dont on ne rencontre jamais la pointe du coup d'œil, comme certains polychromes dont le regard pèche par divergence ; on l'observe de tous les angles, il ne regarde jamais qu'ailleurs. Y a de l'obstination chez lui, jusque dans la couleur de ses vêtements et accessoires, qui sont tous jaunes, du chapeau aux souliers en passant par la moustache.

189

Ce qu'il a d'indomptable, çui-là, c'est la parole. Pour ne pas la perdre, il marmonne entre les phrases, comme un enfant anxieux. Tandis que l'Acolyte débitait son questionnaire, l'Inspecteur, du genre attentif à tout qui attend son heure, demeurait en retrait, bic en main, derrière un carnet et une lampe de tortionnaire.

Où qu'il aille, l'Inspecteur, son esprit ne quitte jamais sa pyramide ; il n'est pas de nature à se sentir perdu, puisqu'il est toujours là où il se trouve, comme aurait dit la Siebel. Il fumait à profusion et jetait sur moi des soupçons d'une espèce contre laquelle je n'étais pas prêt à me défendre. J'étais, dans leur esprit, ou détraqué ou dégénéré ou vénal, ou les trois à la fois, et un seul constat suffirait à m'incriminer, s'il était soutenu par des indices et aveux concordants. En cette matière, ma déposition pouvait décider de tout. J'étais donc tenu en porte-à-faux au-dessus du risque de ne pas dire la bonne chose et de trébucher dans le vide, et pourtant, je m'en foutais comme de ma dernière chemise carreautée.

C'est durant une question dont je ne saisissais pas le rôle dans la chaîne alimentaire que la fonction annonciatrice du haïku du plan mural m'est apparue dans sa plus cruelle splendeur : je venais de comprendre que nous nous étions rendus trop tôt sur la voie ferrée, avec la Siebel, c'est-à-dire avant même que l'épigraphe du plan mural n'ait été complétée. Cette formation progressive du haïku devait suggérer un aboutissement dans le temps, en cohésion avec le lieu annoncé par l'empâtement du dernier mot du graffiti, aussi avec l'événement sous-entendu par les autres haïkus. En clair, Washington Desnombres s'enlèverait ou se serait déjà ôté la vie sur la voie ferrée du Canadien Pacifique au moment même de l'achèvement de l'inscription du haïku sur le plan mural! C'était fou et génial à la fois! Et un peu magique…

J'ai alerté mes interrogateurs : « Si vous vous rendez sur la voie ferrée, vous pourrez peut-être encore le rattraper. Allez-y, au cas où il se trouverait là, entre les rails, depuis la fin de la formation du haïku, on ne sait jamais. Il nous a lancé trop d'indices, ça ne peut pas ne pas parler… » Ce que je venais de dire était irrécupérable, c'était tombé dans l'oreille d'un flic et d'un flop.

Le dialogue s'est mal terminé. J'exaspérais le sous-diacre de la cérémonie. Ça se voyait dans la face d'anthropophage de l'Acolyte qu'il aurait voulu mordre dans ma jugulaire : « Vous, vous ne m'aimez pas!

— Ça non! a-t-il répliqué, j'ai horreur des faux désaxés de votre espèce, comme qu'on dit, des paresseux qui vivent à l'aise, qui en font le moins possible et qui se croisent les bras dans l'espoir que ça durera, qui niaisent dans les cafés pendant que je travaille, qui se promènent en bicycle tout l'été, le nez au frais, comme s'ils étaient les seuls à savoir vivre, qui descendent en Floride l'hiver — c'est à se demander où ils trouvent le cash! —, qui profitent de la vie. Est-ce que j'en profite de la vie, moi! Vous vous croyez supérieur parce que vous ne calculez pas votre intelligence en Q.I., comme tout le monde, mais en ce que vous croyez être de la sagesse. Eh bien moi, je vous dis que vous êtes pas plus intelligent qu'un saumon fumé et pas plus sage qu'un chien fou. Vous êtes pas utile à la société, vous n'êtes qu'un poids suspendu à mes impôts, vous êtes… Et ôtez ces satanées lunettes d'aviateur avant que je vous les fasse avaler par le cul! »

Devant les gens de cette sorte, on se prend à croire, comme les Chinois d'un autre temps, que le ciel est rond et la terre, carrée. La Pyramide a dû intervenir pour tempérer un peu la rage du sous-fifre, qui semblait prêt à m'arracher les couilles. Pour ce qui me concerne, ce n'était pas nécessaire de le modérer, j'ai l'habitude des agressions. La mésestime, l'indifférence, même le mépris et d'autres formes de rejet m'ont jadis transpercé de coups si brutaux que les mordillages de maintenant ne me blessent plus. J'ai demandé si j'avais assez joué le souffre-douleur et si je pouvais m'en aller… « Non, a roucoulé l'Acolyte, vous restez ici, avec nous, bien au frais… de l'État.

— Mais je n'ai pas apporté de musique de nuit… Et la lumière est si dure pour les yeux ! »

C'est à l'Adage qu'a été confié le soin de me fouiller et de me dépouiller de tout ce qui n'était pas ma culotte et ma chemise : la ceinture, les lacets, les clés, le casque, les lunettes, même le sifflet cuivré. Qu'on m'arrache la chaînette, d'accord, mais qu'on me laisse au moins le sifflet, au cas où je rencontrerais un certain marin, qui sait ?

Déjà tout jeune je portais en moi une tête d'adulte et pensais par identification à un père inconnu qu'en conséquence je saurais reconnaître. J'ai ainsi pressenti des tas de géniteurs potentiels, à l'école, au travail, dans les bars, même au cinéma, mais aucun n'a jamais reconnu le sifflet de marin que j'exhibe pourtant comme un blason de famille.

Ma proposition n'a pas été retenue ni même commentée. L'Adage m'a conduit dans une cellule, sans doute pour qu'en cette demeure ma joie dérape, déraille ou dérage, je ne saurais dire, et m'a mis sur les genoux un plateau garni d'un sandwich et d'un café à l'eau de vaisselle. « C'est s'enrichir que s'ôter le désir et les besoins, a-t-il lancé de sa voix de proverbier, si je puis dire…

— Est-ce que je ne peux pas avoir un numéro trois pour deux à la place, avec un rouleau impérial ? J'ai l'habitude de faire venir des mets chinois quand la solitude me pèse. Je commande pour deux et on dirait que ça va tout de suite mieux. Si vous voulez, on partage... je veux dire : je paye et on partage la bouffe.»

J'ai eu droit à un coup d'œil mauvais, suivi d'une délicate pression de matraque sur le renflement de la braguette. J'ai alors vu dans son regard qu'il était de ces angoissés qui, sur tout et en tout temps, parlent et agissent dans un registre calme pour échapper à la figure de ce qui les traque par en dedans. C'est toujours émouvant de reconnaître l'un des siens qui a réussi à se creuser une niche dans la confrérie des adultes bien intégrés.

Il tombe une lumière lavée dans cette cellule de béton, qui empêche l'ombre véritable. Les bruissements se détachent de leur source, de leur réalité, comme s'ils ne signifiaient plus rien, comme s'ils n'étaient plus une grille qui se referme, un mur qui fait obstruction, une serviette de papier qui se chiffonne, une bouche qui aspire dans un verre en polystyrène.

Dans le corridor, qui attendent d'être secourus, ici un bras tordu pendant entre les barreaux, une main tendue, ou deux qui brassent la cage, là-bas un pied nu qui traîne hors limite, ailleurs, une crinière qui décline en une cascade soyeuse. On voudrait savoir à quoi ceux-là ressemblent qu'on en serait empêché par la chaîne de barreaux perçus en oblique.

Il y a, sans relâche, un point critique de rupture dans tout regard. C'est sans doute mieux qu'on nous tienne ainsi à distance les uns des autres, car je ne peux plus fréquenter des êtres de près que dans la souffrance.

Je suis resté un long temps tourné face au mur, les yeux plissés, comme le chat Mot quand il est en rupture de santé. Il faut dire que la géométrie ramassée de la cellule ne laisse pas trop de choix. On nous a mis du temps agité dans la fenêtre grillagée, qui n'est pas qu'une fenêtre, bien sûr, c'est aussi un monde qui me tient interdit d'accès. La nuit est ébranlée par un dodécatuor pour vents et barreaux, car il fait tout ensemble, ici et là-bas, les quatre vents de l'Antiquité et les huit vents chinois. C'est à se demander comment on a pu, dans les *Psaumes*, faire du vent un messager divin, presque l'égal des anges! Ç'a ouillouillé quelque part. On discernait dans la nuit des respirations d'exténués sans défense, de loups la patte au piège.

J'ai repris cette rengaine et me suis frappé la pioche un peu partout dans la cellule, ici et juste en face, à côté, proche et pardevant, toujours revenant sur le même compartiment fermé et plombé, l'élan limité à deux enjambées. Je me suis arrêté sous la fenêtre, accroché des genoux et des mains à la poussière du mur, puis on est venu me calmer parce que la détention a ses règles. Il est permis d'écrire sur les murs, pas de s'y enfanter; on peut hurler sa douleur, pas gémir de plaisir, surtout seul.

Un porteur de chienne blanche est accouru, accompagné d'un fort en bras qui se donnait des coups de matraque dans la paume. On m'a informé qu'on avait peut-être quelque chose qui me calmerait, j'ai demandé si c'était de la musique ethnique. «Et pourquoi pas de la musique de cirque avec ça! a grogné le Matraqueur.

— Si vous avez, oui, ou n'importe quoi d'autre qui ne soit pas le silence.

— Non, on n'a pas! On aime le silence, ici… en tout cas la nuit. Et un petit conseil: sois gentil avec nous, sinon gare à ton rouleau impérial.»

La Chienne blanche m'a fait avaler deux comprimés qui m'ont rappelé le temps de mon arrivée à Montréal, quand on hésitait à décider si j'étais sourd ou fêlé du chaudron et qu'on me nourrissait d'une soupe de pilules soir et matin.

Puis le Matraqueur a sorti de sa poche trois des carnets qui m'ont été confisqués avec le sac à dos à mon arrivée ici, *Mon journal de voyage* et deux carnets vierges à motifs écossais, mais pas les cahiers précédents, des fois que je me serais enfui par une dictée déchirante ! « L'Inspecteur vous remet vos carnets. Il a dit qu'il ne voulait pas… je sais plus comment il a formulé ça… qu'il ne voulait pas interrompre votre rédaction ou votre confession, je sais plus.

— Ma confession ! Il faudrait pour ça qu'il y ait aveu, qu'il y ait la perspective d'une punition ou d'une rémission, la volonté de retrouver une innocence, qu'il y ait franchise, ingénuité sans réticence, et à la clé, un délit, un méfait, un crime… »

J'aurais voulu que le Matraqueur soutienne des arguments contraires et que ça éveille chez moi des répliques sans réplique. J'aurais pu, en épilogue, prétendre n'être pas de la compagnie des saints ni de ceux qui pèchent pour être absous, qu'il me faudrait pour ça avoir pressenti le vice… « Et peut-on imaginer une confession sans quelqu'un à qui dicter ses fautes !

— Ah ! oui, c'est ça, pas rédaction : dictée ! L'inspecteur a dit qu'il ne voulait pas interrompre votre dictée, et pour ça, il vous renvoie vos carnets et vous prête un bille.

— Vous auriez pu ajouter le walkman et quelques cassettes de musique, avec ça, que je puisse au moins égrener des Ave de sommeil… »

Au moment que la prison est le plus inquiétante, j'ai entrepris de résumer les événements des dernières heures dans *Mon journal de voyage*. Suis pas dupe, je vois bien le calcul de l'Inspecteur, qui attend la suite du feuilleton, mais je n'ai pas le choix, car chez moi, la faculté d'oubli domine la mémoire, à cause de l'incapacité d'inventer des liens entre les évocations sans doute. Si je ne fixe pas maintenant ce que je sais, tout sera bientôt aussi enseveli que l'enfance.

Depuis que le Matraqueur m'a laissé seul à méditer sur mes vieux péchés, selon son expression, comme s'il n'y avait pas assez de recul pour dépecer les plus récents, j'écris en sifflotant *The Big Cage*, un galop d'une courte minute adapté au numéro de dompteur de lions et de tigres, ou en fredonnant des chants italiens de résistance, chants de travail et chants dominicaux, chants d'amour et chants politiques, chants de prisonniers. Ils n'ont pas éteint toutes les lumières, mais ils ont commandé le silence complet. Je n'ai pas cessé, depuis le début de la nuit, de rédiger par fragments dans la pénombre et de chantonner pour rompre cette mutité, pour recouvrir ces bouts de phrases obsédants qui me tiennent en otage : « mon père chique une équation étêtante », « âmes, mettez ici des choses dans un cahier », « on vous dirait à la recherche d'un enfant mouru à l'avant-vie », « viens donc avec moi et comprenons un peu les illuminés »... N'est-ce pas dans le palais des échos que chialent avec le plus de cruauté les secrets qui s'entrechoquent ?

Pour une fois et pour jamais, j'avais envie de sombrer dans l'abdication de la nuit, comme quand même les plus combatifs en ont plein le dos et renoncent à tout, envoient promener le monde entier et plongent sous la ouate de phoque en quête de leur identité indivise.

Mon journal de voyage est rempli presque à ras bords. Au suivant : la plus petite des deux couvertures écossaises, qui j'espère ne cache pas une douche à sa façon. Je fais la bouche en cul de poule et expulse de l'air jusqu'à contrefaire le sifflement de vigie. Pas si facile de survivre sans son sifflet !

Voilà. Pfui-îîît…

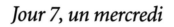

Jour 7, un mercredi

DICTÉE 14

*Où l'irréalité de ce qui existe et la réalité de ce qui n'existe pas
se correspondront dans l'esprit de Gésu Retard*

Même ici, en cellule, je ne peux commencer la journée
sans tenter de raisonner, dans la mesure du possible de la façon
la plus dubitative, quelques propos au sujet d'une chose ou
d'une autre qui me concerne en propre, c'est un engagement de
solitaire. Je ne sais pourquoi — peut-être parce que ma perception de Siebel et de Desnombres est rendue confuse par la fuite
de l'un et par la perte de l'autre, jusqu'à entraîner une représentation déconcertante des rapports humains, comme dans
tout cas d'abandon —, mais depuis des jours, mon champ d'observation se rétrécit à aussi peu que ma personne. Il ne surgit
que des morceaux de moi-même chaque matin, et ce ne sont
pas les interrogatoires ni la réclusion de nuit qui vont me faire
passer ça. Cette nuit d'enfermement, justement, elle impose une

lumière jamais assez lisse pour ôter au ciment sa rugosité. On dirait que rien ici n'intrigue en faveur des usagers. J'ai été empêché de sommeil, à cause d'un silence bourré de nouvelles phrases qui me harcelait dès que je cessais de chanter. J'ai quand même rêvé que le corps de Siebel me donnait à boire.

Quand il fait silence, à l'étage des cellules, c'est un mutisme de violon irlandais dans son étui, comme une insatisfaction latente qui se déplierait en une tourmente tout intérieure. Ils ont l'air, ici, de penser que je vis plus intensément dans le rêve éveillé que dans leur réalité. La violence de ce jugement, bien qu'elle s'articule dans un espace étranger, est ressentie comme de coutume. Je faillis toujours à nommer la douleur causée par de tels verdicts, mais suis capable de l'accompagner de mots écrits. Ce qui est nouveau, dans ces cahiers, c'est que je puisse abouter des phrases. Et s'il est un lieu où ces phrases enchaînées ne sont pas du sens perdu, c'est bien celui-ci, où l'on nous prête une attention de tous les instants — sans compter l'Inspecteur qui attend mes nouveaux cahiers! On pose ici beaucoup de questions, et quand le signal est donné de répondre, alors là, il faut que ça dise plus que ce que l'on sait; on exige quelque chose qui dévoile, qui dénonce ou qui corrompe, c'est obligé, sans quoi, gare au cigare.

Je me répétais des pièces de fermeture de spectacle, comme le *Galop final* de Sauguet, quand la chose s'est manifestée avec la force d'une évidence; c'est là, en braillant la ritournelle dans un emportement oublieux, qu'est apparu que je n'avais pas ciblé avec exactitude le lieu de la voie ferrée où se trouverait Washington Desnombres, mort ou vivant, vu que j'avais omis de prendre en considération la signature du poète Issa. Il aurait donc fallu avoir compris, dès le constat que l'adresse indiquait l'emplacement de mon appartement de la rue Saint-Denis, que la signature elle-même faisait partie du message, comme le créateur de son œuvre. J'ai alors alerté le gardien, une espèce de monsieur muscles ravagé par l'acné, qu'on reconnaît aux pensées obscènes qui lui coulent du nez comme par des gargouilles. «Dis donc, c'est une manie de déranger les forces de l'ordre au milieu de la nuit? Sais-tu au moins quelle heure il est?

— Est-ce si utile d'être au courant de ça, quand on sait qu'à cet instant, ailleurs, ou qu'ici, plus tard, les données ne seront plus les mêmes, plus jamais les mêmes?

— Mais tu sauras qu'on n'est ni ailleurs ni en un autre temps, qu'on est ici, cette nuit, à quatre heures du matin.

— Et ça vous donne quoi au juste de savoir ça?

— Mais… ça m'indique que je suis à ma place, au bon moment.

— C'est pas mon cas.

— Ils disent tous ça, qu'ils sont innocents et qu'ils n'ont rien à faire ici…»

L'Acnéique a appelé un gradé sans allure, qui a alerté un supérieur sans manières, qui a fait réveiller un capitaine sans bateau, qui a enfin pris ma déposition en s'aidant d'un magnétocassette bas de gamme et qui a promis d'envoyer presque tout de suite une patrouille sur la voie du Canadien Pacifique, cette fois vers l'avenue De Lorimier — du nom d'un notaire patriote —, un peu à l'est de l'incinérateur municipal, mais qui a remis au matin de téléphoner à la Pyramide, parce qu'il a le respect de ses supérieurs. Décidément, ils savent tous où, quand et qui ils sont, dans cette maison! Il m'a lui-même raccompagné à ma cellule, des fois qu'il me resterait quelque chose de moins farfelu à déclarer.

Il est reparti un peu déçu et a aboyé dans le corridor:

« J'avais entendu parler de vous comme d'un drôle de moineau, eh bien, vous allez au-delà de votre réalité ! » J'ai passé le reste de la nuit les doigts dans le grillage de la fenêtre, mais l'obscurité vitrée ne me retournait que ma face d'incarcéré sur fond de points lumineux.

À l'aube, les bras tendus de la cellule d'à côté a commencé de délirer, comme s'il cherchait à délivrer le langage de la raison qui l'oppressait. Il appelait la mort à la rescousse. Les casquettes l'ont fait taire au moyen de rafales de matraques sur les doigts. J'ai essayé de ne pas m'en soucier davantage que de tout le reste que je ne comprends pas. Il faut dire que je suis averti depuis toujours que toute chose en signifie une autre. En ce sens, impossible de décider si un insigne au veston constitue un meilleur présage qu'un bras tatoué d'un scorpion qui tourne son aiguillon contre lui-même.

À l'aurore, voyant que je ne dormais pas, un autre gardien, celui-là à tête de mouffette, dont la compassion ne semblait pas pouvoir rester en équilibre au spectacle de l'enfermement, est venu me demander si je ne voudrais pas retrouver en moi-même ce besoin tout religieux de ce qui n'est justement pas moi. Ce sermonneur à l'esprit plutôt raide, cet apôtre de la pureté, il est comme la vache sacrée qui aurait entendu parler d'abattoirs dans des contrées lointaines, il voit partout ailleurs que chez lui mal et laideur. Il est ressorti sans m'écouter et m'a lancé un fraternel « Unis par la prière…

— Unis par l'abandon, ouais, punis par la détresse ! Non mais t'as vu tous ces claustrés dans leur fureur qui peuplent le lieu d'où tu parles ? »

Quelqu'un a crié : « C'est quoi, claustré ? » J'ai fait celui qui ne savait pas, comme les autres, et comme le Sermonneur, qui s'est éclipsé en menaçant de revenir me convertir demain matin. C'était sans savoir que cet autre jour ne saurait être fait de la même substance.

Je me sentais, en ce lieu, comme une grenouille dans une piscine olympique, incapable de se poser sur un haut-fond et qui surnage jusqu'à épuisement. Le nœud respiratoire de ces corridors m'étouffait, j'inspirais le même oxygène que trop de gens, j'en perdais mon unité. J'étais sans repères dans cette géographie de l'infamilier, à une exception près : à tout moment de distraction, ma pensée se tournait vers eux, le Mathématicien et la Physicienne, figés comme dans des portraits en plan américain, lui en philosophe à l'harmonica coiffé d'une casquette de chauffeur d'autobus, elle en blonde rouquine au sourire tacheté, s'ombrageant sous une capeline… J'avais si mal aux yeux que, pour atténuer le rayonnement, je m'enfonçais dans l'assombri du for intérieur, bien que pas trop, à cause de la cohue d'idées, de répliques, de censures qui y fulguraient leurs propres éclats.

Ç'a été un matin tissé de la matière dont sont faits certains songes. Ce jour constitue une inaltérable reprise de la première fois où j'ai été indolent, où j'ai suscité l'indifférence. Je n'ai en tête que ce fondement solide, ce qu'ils appellent désillusion ou désabusement et qu'il serait préférable de nommer regret ou lucidité, rien qui ne s'approche en tout cas de la sagesse. Je vis en locataire au centre de moi-même, plus provisoire que jamais et toujours aussi peu approprié à ma destinée qu'une vache sacrée.

On voyait d'en haut une grande partie de l'île, certains immeubles qui en déforment l'espace, quelques-uns de ses ponts. On n'a que peu, ici, la conscience de l'île et pas plus du fleuve, mais des ponts, ça oui. Montréal est une de ces rares terres entourées d'eau qui ne se prennent pas pour un bateau ;

ses fils, qui ne savent trop où se trouve la mer, ne rêvent pas de devenir marins, bien qu'il puisse se trouver un gamin, à l'occasion, qui rêve d'en accoster un, de marin, mais pas n'importe lequel, celui de l'imago empêchée. Je devrais me plaindre, tant cette inconséquence me correspond, d'être installé au milieu d'une île qui a bétonné les prés les plus fertiles de la Province et asphalté ses origines.

Des crânes de vivants avaient repris leur circulation anguleuse et saccadée dans un jeu de cubes luisants, on aurait dit des mini-automates dans un décor de carton, désemparés, pathétiques, courant en tous sens, mais dans une absence de sens, parmi d'autres objets arrêtés qui respiraient à fond. Je ne cessais d'essayer de me ressaisir de la situation, mais sans parvenir à rassembler ne serait-ce qu'une partie raisonnable de ce qui la compose, quand des gardiens sont venus sortir un voisin de cellule dans un sac plastifié — ici, la mort enveloppe chaque seconde —, au milieu des huées et des brassages de cages. Quelqu'un a crié : « Il s'est pendu avec ses jeans ! » Faut reconnaître que je ressens toujours comme cruelle la perte d'inconnus, sans doute parce que leur trépas ne m'arrache aucune présence et par là n'est que pure défaillance de vie, rupture de continuum. Siebel aurait raison : chez moi, la distance ajoute à la force attractive…

Il faut avoir déjà un long temps fixé une tache de soleil sur le sol pour savoir qu'elle respire, qu'une vie de point de lumière bat en elle, qu'une clarté ombilicale la relie à sa source, qu'il y a en tout de l'inépuisable.

Quand on est venu me chercher pour la toilette du matin, j'ai voulu savoir si Desnombres avait été retrouvé. « Il est difficile, a répondu l'Adage, d'attraper un chat noir dans un lieu obscur, surtout lorsqu'il n'y est pas. » C'était à n'y rien comprendre, alors j'ai reposé la question à la Pyramide et à l'Acolyte. « On n'a pas trouvé Desnombres ! » a hurlé ce dernier, avant de se fendre d'une colère : « Et c'est nous qui posons les questions, ici : qui a écrit sur le plan mural ? qui a blessé le chat d'une volée de pierres ? qui a arraché la tête des oisillons ? quelle était votre relation avec le couple Desnombres ? »

Ce qu'il aurait fallu répondre à ce fin matois, c'est que ce qui me serait resté épargné, si les Desnombres ne s'étaient pointés dans mon étriqué, comme j'aime à dire en bousculant les dictionnaires, lui d'abord, elle ensuite, c'est cette restauration de l'espoir qui me fait chercher l'un et attendre l'autre. Il est sorti à la place une phrase dans laquelle il était question d'un pantin auquel il fallait un nouveau ressort et d'une poupée dont je ne maîtriserais jamais la force agissante. Plus inadapté que ça, tu meurs au cachot dans tes jeans.

« Ce texte écrit au marqueur sur votre plan de quartier et adressé à un certain Marin Marin, savez-vous ce que c'est ? » Une mine noire leur dépassait du col de chemise. « C'est un haïku spek, un poème de trois vers, dont deux de cinq syllabes séparés par un de sept, une déposition réduite à sa plus simple expression, qui résume une parcelle de vie et qui doit être diffusée dans le plus pur anonymat… » Ils ont étalé sur la table le plan avec son haïku complet et bien tracé :

> *À Marin Marin*
> *Viens donc avec moi*
> *Et amusons-nous un peu*
> *Moineau sans parents*
>
> ISSA

Plus l'erreur est rationalisée, plus ses défenseurs se gaspillent en inventions de toutes sortes pour s'y maintenir. « Et ce Marin Marin habite chez vous ?

— C'est mon pseudonyme.

— Votre nom de code?

— Si vous voulez.

— Et qu'est-ce que c'est que cet autre code, à la fin : I, S, S, A?

— C'est le nom de l'auteur du haïku. Suivant l'esprit spek, il ne devrait pas figurer là, même si chez les haijins, c'était permis de signer.

— Ces haijins, c'est une bande rivale?

— C'est en quelque sorte la racine mère.»

Au sommet de la pyramide, ç'avait surtout l'air de penser à casser ma résistance. « Et ce Issa, c'est un membre de votre secte?

— Issa Kobayashi! Plutôt un peintre doublé d'un poète célèbre, disciple de Bashō.

— Alors, ce Bashō, c'est votre chef? Il est ici ou à l'étranger? Vous avez l'adresse de ces gens-là?

— On ne se comprend pas.

— Je crois que c'est parce que vous inventez tout ça au fur et à mesure.

— Inventer! Inutile, la réalité est assez incroyable en elle-même, on ne ferait pas mieux.»

L'insistance des policiers aura desserré quelques bouches cousues de la paroisse. Tout signe aura été interprété dans l'optique du soupçon. Les voisins de chaque côté, chez qui j'ai souvent tondu le gazon et gardé les enfants, l'ancien de soixante-huit qui rêve toujours d'un monde sans pleurs, le type en cuir, la femme battue, même le locataire du troisième dans le corps duquel la mort loge déjà et qu'un sida fauchera bientôt dans sa fleur, pour qui j'avais jusqu'à récemment l'habitude de faire les courses trois fois la semaine, le curé qui me téléphone chaque fois qu'il a des chaises de bingo à rempiler et qui me paye au prix du noir, quand son Black de service n'est pas libre, tous ceux-là se seraient dits par moi épiés, dérangés, envahis. Il aura suffi de quelques hasards mal agencés pour produire une situation qui tourne à mon désavantage. Le camp des abusés pourrait bien me pousser au banc des accusés.

Les enquêteurs m'ont étourdi de questions jusqu'à ce que ma tête ne fasse plus unité avec le corps. J'ai dû cesser de soutenir leur regard, de peur de tomber sous leur influence. Je me suis plutôt mis à fixer, chez l'un l'arête du nez, qu'il se pince avec un air de notaire, chez l'autre la glabelle, qu'il se masse du bout de l'index parce qu'il a entendu à la télé que la divinité du visage s'y condense. Ne construisons-nous pas tous des métaphores pour nous rassurer sur notre propre équilibre, parfois même des scénarios qui mettent notre fantaisie en harmonie avec le monde ?

On m'a permis de me reposer dans une salle adjacente, où toutes sortes d'objets se détachaient, prenaient forme, poids et vie dans l'espace. Un veston d'uniforme sur une chaise dont les plis, dessinés par un éclairage latéral, traçaient des chaînes de montagnes et invitaient au voyage, mais au vrai voyage, à celui qui fait partir sans date de retour, qui fait partir, sans retour, par le rail ou par le fleuve.

Derrière le grillage et les barreaux de la fenêtre, le paysage n'était plus que sensations lumineuses et colorantes ; on aurait dit qu'il s'aplatissait sous l'horizon, jusqu'à se libérer de toutes préoccupations figuratives…

Il m'a semblé que l'Adage, Janus à deux visages, l'un jeune, l'autre âgé, allait bientôt dérouler une série de dictons et de maximes. L'eau courante ne se corrompt jamais ; quand le sage montre la lune, l'idiot regarde le doigt; le hasard vaut mieux qu'un rendez-vous… Vite fuir sous n'importe quel prétexte. « J'ai envie. » Il faut dire que j'aime écrire dans la réverbération des lavabos, où mes chantonnements vibrent comme un air d'opéra dans une église, ou un sermon de prédicateur dans un stade ou l'annonce d'un but gagnant dans une salle de concert. Voilà.

DICTÉE 15

Où Gésu Retard sera abusé par une répétition
et se retrouvera blotti dans un coin, à côté de rien

Au retour des toilettes, l'Adage m'a sur-le-champ fait passer dans le corridor, devant la porte du bureau de la Pyramide, sans doute pour me mettre dans une attente plus anxieuse de l'interrogatoire à venir. Là, je me suis retrouvé face à Tino Mongras, en poète fermé, qui s'accompagnait d'une femme au bras de laquelle je l'ai aperçu, ces derniers temps, sans trop savoir si c'était sa blonde, sa sœur ou sa travailleuse sociale. Elle manifeste les effusions de l'une, la patience de l'autre et l'air débrouillard de la dernière. J'ai demandé s'ils étaient là à cause de Desnombres, mais Tino refusait de s'adresser à moi sans détour, préférant murmurer à l'oreille de la femme qui me rendait aussitôt ses ronchonnements sur un ton quasi détaché.

J'ai ainsi appris que Tino Mongras avait reçu Desnombres

presque tous les midis pour un repas d'œufs et de bacon, que le Mathématicien apportait et préparait lui-même, qu'ils discutaient de matchs et de maths — j'ai cru entendre qu'il y avait de la poésie dans certains buts et de la beauté dans certaines équations —, de philosophie, de musique, d'amour et d'amitié même, de tout et de n'importe quoi, sauf du réseau Spek, des gens, de la société et du temps qu'il fait, parce qu'ils ont en commun, ai-je compris, une exaspération à l'égard de ceux qui commentent le beau et le mauvais temps. C'est là une chose que je ne peux concevoir, pas plus que les rencontres entre membres du mouvement Spek, surtout quand celui qui reçoit, c'est le Tino qui veut pas me parler.

J'ai voulu proférer cette remarque, mais la Pyramide est arrivé par le bout du corridor et s'est lancé dans une colère contre l'Acolyte parce qu'on nous avait assis ensemble, le poète national et moi. « Peu importe, a objecté Tino, puisqu'on ne se parle pas ! » Ç'a paru intéresser la Pyramide.

Tino est passé le premier dans le bureau des interrogateurs et je suis resté seul avec l'Adage et la travailleuse sociale, un peu ébranlé par les retombées de décibels. J'ai demandé qui elle était au juste. « Ne fais pas semblant de ne pas me reconnaître, Gésu, tu sais bien que je suis la maman de Tino et d'Omer, et de Lolo, fais pas l'innocent. Tu étais toujours à la maison dans le temps des canulars. Ah ! quels génies de l'arnaque vous étiez alors, les garçons et toi, vous auriez pu vendre des stops pour malentendants ! Vous aviez l'allure de ces aventuriers qui ne concassent dans leur scotch que des fragments d'iceberg. »

Pour ne pas avoir à affronter plus longtemps son regard de maman Mongras, je me suis contenté de gloser sur le mauvais temps en pointant la fenêtre. Prise de colère, elle a réprouvé cette diversion, avant de me tenir pour responsable de l'accident d'Omer, dans le métro, y a si longtemps ! « C'est pour ça, mon salaud! que t'es plus jamais revenu à la maison…» Aurait fallu lui expliquer que j'avais touché, dès après cet ultime canular, le tréfonds de ma détermination à être au monde. «T'avais peur d'avoir à justifier ta conduite, hein!» Et peu de chose, pour ainsi dire aucun événement ni personne, jusqu'à cette affaire Desnombres, ne m'en a fait remonter, sauf peut-être l'encyclopédie des bruits, pour laquelle je me suis flanqué dans une opération inépuisable d'observation par l'oreille de la corporation des gens et de la communauté des choses. «Et comme t'avais pas d'explication qui tienne la route et que tu sais pas t'excuser, tu savais que j'allais te dire tes quatre vérités : que tu pues l'égocentrisme, la manipulation et la négligence, que tu sais pas vivre, Gésu! Tu sais pas vivre…»

Elle a suggéré que j'aille me pendre aux barreaux d'une cellule avec mon cordon ombilical. «Assez! a imploré l'Adage, qui mimait des claquements de nonne surveillante. Celui qui se tait mûrit.» Il y a eu presque une heure d'un mutisme plein d'échos avant que l'Acolyte me fasse passer dans le bureau.

La philosophie de la Pyramide ne semblait tenir qu'à ce constat : quand on soulève une pierre du jardin, il y a plein d'insectes qui se mettent à bouger. Il m'a posé des questions sur nos déplacements, sur nos échanges de paroles, sur nos épisodes d'intimité, sur sa silhouette… Ah! donc il parlait de la Siebel et non de Desnombres! Quelque chose s'est replié derrière mon regard, car je ne me souviens déjà d'elle que comme d'une absence, comme d'un remords. Il a noté remords dans le carnet. Ce mot mal placé est tombé sur le plateau de la balance qui recueille ce qui s'accumule contre moi; c'était clair qu'il allait échafauder un scénario sur ce mot échappé. Je jonglais sur le fil du rasoir.

Il a dit que Siebel-Desnombres avait été relaxée, mais avec interdiction de s'aventurer hors du territoire provincial, que selon leurs renseignements elle s'était fait conduire à Québec par un certain chauffeur de taxi que je devais connaître. « Vous avez vécu à Québec, n'est-ce pas ? » Je ne saurais à l'évidence remémorer le moindre détail d'urbanité de cette ville. « Je n'y suis pas retourné depuis une certaine chute parmi les poubelles.

— Ah ! la chute, les poubelles... J'ai lu ça, oui, dans un cahier. »

Ils m'imposaient de voyager dans le temps, m'interrogeant sur l'enfance — on aurait voulu que je repêche le petit Gésu en moi —, sur Desnombres, sur Hep Taxi ! ou sur l'enseignement de la géographie. « Vous avez milité dans une cellule du Front de libération du Québec, n'est-ce pas ? vous vous étiez même fait interviewer à la radio comme felquiste de la cellule Maison-Nette ayant fui en radeau vers les États-Unis par la rivière Richelieu. Vous pouvez parler sans crainte, après toutes ces années, il doit y avoir prescription. »

À ce sujet d'examen, il aurait fallu répondre en abondance pour expliquer que ç'avait été là mon premier grand canular, sous le nom d'Aimé Lapoudre, bien avant de me faire passer, auprès d'autres journalistes, pour le secrétaire occidental du dalaï-lama, sous le nom de Paul Brahmapoutre, pour l'acuponcteur de Mao Tsé-toung, pour un garde forestier préconisant l'installation de diffuseurs d'eau dans les forêts pour lutter contre la sécheresse et les incendies, pour un agent Pinkerton spécialiste de la sécurité des centrales nucléaires, pour un miraculé de l'abbé Pierre, pour le petit-fils naturel du frère André, pour le président d'un mouvement prônant l'inversion du cours de quelques grandes rivières québécoises vers le Grand Nord, à l'aide de pompes, pour aider à sauver les banquises et les icebergs. En ce temps-là, je croyais à quelque chose et militais toujours, par l'ironie et la dérision, pour ci ou contre ça.

J'écoutais à peine les questions de la Pyramide et de l'Acolyte, et répondais à côté. Je n'avais à l'esprit que ce trouble qui m'empêche depuis des heures de me tenir dans ma manière habituelle et rassurante de fonctionner parmi les gens, c'est-à-dire de me tenir à l'écart au milieu d'eux. Elle se voit, cette perturbation, au fait que je n'ai plus assez de vivre entre les marges des petits événements et que par ailleurs les grandes circonstances, comme le lever du soleil, le bourgeonnement printanier ou le retour des oiseaux migrateurs, ne me requièrent plus. Il me semblait que la poussière tombait au sol dans un singulier fracas.

« Et cette histoire de beignets, en 1970, c'était pour ridiculiser les policiers ? » C'est ça qui m'avait fait perdre mon poste de prof de géo. Convaincu que j'étais sur écoute, à cause des soupçons de sympathie ou de participation aux opérations du FLQ, j'avais négocié au téléphone, avec mes complices, Omer et Tino Mongras — qui enseignaient l'un le dessin, l'autre les mathématiques —, l'échange d'un mystérieux paquet dans un couloir du métro. Les policiers s'étaient mis à cent pour nous encercler et n'avaient trouvé qu'un sac de beignets torsadés cuisinés par maman Mongras. Ils nous avaient tenus incarcérés une huitaine de jours, jusqu'à ce que l'avocat d'une centrale syndicale nous fasse libérer, mais c'était trop tard, nous avions attrapé mauvais genre auprès du ministère de l'Éducation… La Pyramide et l'Acolyte ne montraient aucune compassion… Un habitué de la prison nous avait donné ce conseil : sa dette payée à la société, le plus facile, c'est de faire du taxi, on se sent libre à rouler en tous sens, et ils engagent même les repris de justice, suffit de connaître un peu la ville. Omer et moi avions suivi le conseil, Tino pas.

La nouvelle est arrivée vers la fin de l'interrogatoire. La mort s'est posée sur le nom de Washington Desnombres, dont le corps a été retrouvé sur la voie ferrée, au bout de la hampe prolongée du A d'ISSA, calligraphié en petites capitales. Le chercheur d'authenticité aurait interrompu sa quête entre des parallèles hantées par des convois ferroviaires en serrant contre lui une casquette de chauffeur d'autobus ou de métro. Il m'a tout de suite semblé que non seulement ça n'invalidait rien, mais que ça rendait plus nécessaire encore le besoin d'authenticité. « Cette découverte n'a pas l'air de vous bouleverser ! » s'est écrié l'Acolyte.

Que la mort emporte la vie m'a toujours paru épouvantable, quoique salutaire; qu'elle efface une disposition, une compétence, un talent, c'est désespérant; qu'elle mette fin à une mémoire, le désespoir s'augmente d'une épouvante; qu'elle abolisse une pensée, une maîtrise du langage, là je ne peux plus même me figurer la chose. « Ce sont des jeunes qui roulaient sur la piste cyclable qui longe ces voies ferrées presque désaffectées qui ont trouvé son corps mutilé dans l'herbe longue ce matin, près du viaduc de l'avenue De Lorimier, a précisé la Pyramide, derrière l'ancienne chocolaterie, juste là où vous aviez prédit sa découverte. Il semble qu'il ait roulé sous le wagon de queue d'un convoi de marchandises, on sait ça par recoupements. Des cheminots ont rapporté la présence de sang et de morceaux de chair sous leur fourgon d'équipe, et on a retrouvé un œil et des fragments de membres un peu plus loin, le long de la voie... »

Quelle ironie du sort, se lancer dans les mathématiques et finir en philosophe-harmoniciste sous un wagon de queue ! « Et ça, ça vous dit quelque chose ? » L'Acolyte m'a tendu le polaroïd d'un graffiti spek et a demandé ce que j'en pensais :

Lè a fout sonnin
Pou pati, pou ou sispann
Radoté ouidan

« La photo est mal cadrée.

— Je vais vous en faire, un cadrage, moi ! Je vous demande ce que c'est que ce graffiti tracé à la craie jaune sur la brique de l'ancienne chocolaterie. C'est vous qui avez écrit ces mots, n'est-ce pas ?

— Ça me semble plutôt de lui.

— Il se serait laissé un message à lui-même !

— Ou à nous tous…

— En créole !

— Je ne saurais dire s'il s'agit d'un haïku ne s'adressant qu'à lui-même, je ne lis pas le créole martiniquais.

— Je vais vous le dire, moi, ce que signifie ce poème qui ne rime même pas. Je suis allé à l'école, moi aussi ; je sais qu'un poème, c'est quand ça rime !… Un collègue ethnique là, qui est d'origine martiniquaise, justement, propose la traduction suivante : *Le temps est venu / De partir et de cesser / De radoter.*

— Il manque un pied au dernier vers…

— On s'en fout de vos pieds ! Moi, ce que je veux savoir, c'est comment vous saviez qu'on retrouverait Washington Desnombres à cet endroit précis. Qui l'a poussé sous le train ? qui donc a assassiné Washington Desnombres ? c'est vous, n'est-ce pas ? Vous, là… l'Orignal qui jase, le clown qui tutoie les oiseaux ! Qui imagine se disculper par un journal tout plein d'inventions et de fabulations pour trahir la vérité…

— Si je l'avais tué, je porterais déjà le deuil, je me serais noirci le visage, aurais dénoué mes trois cheveux et les aurais coupés de moitié, parce que cet homme, bien que je ne le connaissais qu'assez peu, était un frère en amitié. »

La Pyramide est demeuré court devant l'argument inspiré de la sagesse amérindienne : « Qu'est-ce que c'est que ce charabia ? Ce que vous dites n'est pas très clair !

— Oh si, ça le devient enfin ! et de plus en plus. »

Et l'Acolyte de persévérer dans la forme interrogative, qui n'est chez lui qu'une variété dramatique de l'affirmation : « Qui a poussé Washington Desnombres et l'a abandonné, abandonné, abandonné… ? » Un mot a bloqué, dans ma tête, le processus d'enchaînement, qui se répétait à l'infini et empêchait la suite de questions d'arriver au jour. J'aurais voulu couiner « Qu'on me laisse seul avec cette douleur ! » mais plus aucun mot ne sortait.

Ils m'ont remis en cellule, dans une autre ou dans la même qui avait pris de l'expansion, au point que je craignais de m'y perdre. Je ne me tenais qu'auprès de la porte ou devant la fenêtre. À tout moment, on venait m'espionner entre les barreaux, comme si j'étais un animal de foire.

Le soleil, tantôt, s'est couché sous un puits de lumière, c'était l'heure mauve. Il faisait un vent à charrier les jérémiades au bout du fleuve et jusque sur d'autres continents. Puis il n'y a plus eu que la description du match de hockey diffusée de Québec. Ça venait de partout et de nulle part. En fin de soirée, ç'a été les pétarades de déception venant de cellules et du poste des gardiens : le Bleu-Blanc-Rouge a perdu son quatrième match contre les Bleus de Québec, les Loups ont donc été humiliés par les Moutons, qui affronteront maintenant l'équipe de Chicago — si celle-là ne va pas se fourvoyer dans les bars et les peep shows ! On devinait d'en haut que ça bardait déjà dans le centre bétonné de la ville. Perd, gagne, ça se gâte de toute manière.

J'ai buté contre les murs, pic en avant, pour à la fin décharger contre un barreau. Quelqu'un en face a fulminé « Au psychopathe ! » J'ai confondu avec pyromane et me suis couvert le visage d'un kleenex après avoir pleuré dedans.

J'ai profité de ces entrefaites pour vérifier, à la lumière d'une expérience nouvelle, quelques-unes des leçons les plus décisives de la vie, apprises à l'occasion en spectateur du monde, mais d'ordinaire dans l'isolement : qu'on ne se trouve nulle part ailleurs plus seul que dans l'affluence et plus désespérément à tous que dans la solitude, qu'aimer l'un et l'autre n'implique pas d'acquiescer à tous et que de détester le monde entier ne justifie pas de se refuser à chacun, que la précarité de la vie et la vivacité de la mort en soi occupent le même nid, que l'usage du vase de nuit dépend du vide interne, non de la faïence, et que rien ne survit à part, que l'existence se résume à ce qui advient et que tout survient malgré soi, que le silence voisine avec l'éloquence, et le verbe avec la mutité, comme l'avant jouxte l'après, et que rien ne se limite à ce qu'il est sans tenir de son contraire, que toute réalité ressortit à l'imaginaire et que le mensonge se fonde sur le vrai, que l'authenticité ne se maîtrise pas, mais se ressent comme un doute et se partage à l'exemple, que l'énumération jamais n'épuisera le monde, et mieux, que toute vérité qui se prend au sérieux devient une erreur, qu'ainsi le comique constitue le sommet lucide de la gravité. Ce ne sont pas là des choses que je comprends au point de pouvoir les expliquer, mais que je sais de source vive. C'est peu, mais bien su. J'ai coché partout dans la colonne : *aussi bien continuer d'y croire.*

Vers minuit, un homme que j'avais déjà aperçu au Macrobiote, une tisane à la main, s'est présenté, qui portait un complet chic surmonté d'un chapeau tyrolien avec une plume verte. On l'aurait dit aussi délicat qu'exalté : « Maître Snoreau, du bureau Dundee, Connaugh, Shetland, Holyhead et Snoreau, je viens assurer votre défense contre une somme qui vous paraîtra dérisoire dans vingt ans. Vous vous trouvez dans de mauvais draps, vous savez. Ils veulent vous accuser du meurtre de Washy... je veux dire : du Professeur Washington Desnombres. Il faut tout me dire, racontez-moi ça depuis le tout début et tenez-vous-en à la vérité.

— Si je dois me mettre en face de la vérité, alors qu'on cache les fusils, les poisons et les cordes à pendus.

— C'est fait, c'est tout caché, alors racontez.

— Euh, ah oui : j'aimerais bien... être en mesure de... décrire entre les... jambes de quelle sorte de... fille je me suis il y a longtemps... abîmé et le... crissement que ç'a... provoqué, mais ça m'est... interdit de savoir ces... choses... J'y arrive pas, c'est pas les bons mots.

— Mais de quoi parlez-vous? Quelle fille vous a abîmé?

— En vérité, je crains de ne pas savoir le reste par cœur, il faudrait demander les cahiers à la Pyramide.

— Mais de quelle pyramide parlez-vous?... Je sens que ça va pas être simple de vous défendre...»

Je suis enfoncé jusqu'à l'engloutissement dans le pastiche de chants montagnais, qui d'ordinaire font giguer la langue et fredonner les pieds, et qui aident, au coucher, à se défaire de soi et du peuple des choses. J'ai certes, en obsessionnel carencé, la manie des rengaines et le tic des tambourinages rythmés, mais ici, maintenant, en ce lieu d'enfermement, dans l'austérité de ma cellule, la voix et la main sont incapables de réalisation. D'abord, je ne parviens qu'à esquinter les airs et à mutiler les cadences. Ensuite, je dois abandonner à son sort cet avant-dernier carnet; pas le choix, le Matraqueur vient le quérir, au nom de la Pyramide, avec *Mon journal de voyage*. « L'Inspecteur vous fait dire qu'ils vous seront rendus plus tard, avec les précédents, du moins s'il s'avère que vous êtes innocent.

— Laissez-moi au moins le gros écossais vierge…

— Mais de quel Écossais parlez-vous ? Vous êtes maboul ou quoi ! Mais cessez d'écrire, à la fin, et remettez-moi ce carnet. Je vais chercher l'infirmier, il va vous donner ce qu'il faut pour vous calmer. »

Voilà. Re-cul de poule et re-parodie de sifflement de détresse. Re-pfui-îîît…

Jour 8, un jeudi

DICTÉE 16

Où Gésu Retard trouvera un goût amer
à survivre sans but précis

Ce matin, c'est avant tout la réalité qui a failli à sa manifestation, ensuite la liberté. Aux heures de cette sorte, toute vérité se dissout dans l'esprit, on n'imagine plus le goût des choses. Le centre de détention, avec ses cellules, ses barreaux, ses matraques, sauf pour ce corps sec qui me confine dans un îlot d'être, c'est ce que j'aurai connu de plus subjuguant. Pas facile, là comme ailleurs, et là plus qu'ailleurs, d'assurer son équilibre dans un quotidien sans relâche analogue à sa répétition. Retournement de perception, je n'aspirais plus qu'à replonger dans l'effervescence du monde, alors qu'au milieu de la multitude je n'avais d'habitude en tête que de me retrouver seul pour me ressaisir par le frémissement de la profusion de gens.

L'avance des jours perçait le matin d'un soleil explosif et

transformait tout et tous en matière luisante capable de déformer l'espace. Me sentais comme celui qui, soustrayant son majeur mouillé de la prise de courant, n'est plus certain si c'est bien lui-même qui pense ou ses vieux fantômes qui se déhanchent. Mon œkoumène tient entre trois murs et une rangée de barreaux, hors de quoi je ne serais qu'une évocation incolore, inodore et insipide, comme une eau déminéralisée. Dehors, une chauve-souris déchiquetait un criquet, ou était-ce une fixation sur un souvenir de branches se faisant craqueter les jointures... et que j'aurais omis d'enregistrer?

La vie humaine semble ici compter pour peu. On s'y trouve tout entier dans son propre égarement, assujetti au dérisoire, au point que tout geste s'amenuise, se futilise, que la moindre perception s'agrandit d'une résonance, se distord d'une contrefaçon. Les secondes y paraissent lentes, les minutes, soudaines, les heures passent comme des lapements de chat dans un bol de lait, les jours s'enchaînent à la manière de jumeaux soudés par la tête. On n'apprend pas ici à vivre, on survit; on n'évolue pas, on décline.

Des mots me venaient, que je ne connaissais pas, des vocables bien à moi, balancés à mon goût, aux sonorités envoûtantes : bafuk, jousaouène, zoublabe, perchique, touspek, haïrkowolk... Qui m'acheminait vers la ruine : je n'arrivais plus à faire tenir les mots en équilibre sur leur objet. L'un ou l'autre, toujours, semblait vide, et alors l'autre trop plein. La chose m'agressait, le mot me blessait. Je m'absorbais dans ces automatismes répétés à l'infini. Pas trop grave, j'ai l'habitude. Si la moindre action me coûte de grands efforts durant la mise en train, il faut dire qu'une fois l'opération commencée, je n'y mets jamais facilement fin, comme par l'effet d'un acharnement qui vomit le principe même d'expiration.

Je vivais cerné par l'incompréhension des uns et l'indifférence des autres. Ce qui s'offrait à moi, je le percevais plus que ne l'éprouvais. J'étais spectateur et conspueur de mes propres actes. Dans ce nouvel isolement, on aurait dit que j'avais perdu tout sens de l'évolution ; rester le même tout en continuant de changer me troublait moins qu'auparavant ; je ne cherchais plus à cesser d'être moi-même et ma circonstance. Quelque chose s'était brisé en moi, je ne sais si c'était un contact ou une résistance. Si l'Apôtre sermonneur, qui devait revenir s'essayer au réconfort, avait dans la bouche des mots consolateurs, je les refuserais, et l'apaisement lui-même.

Dans le couloir, une tignasse peroxydée pendait entre des barreaux, avertissant d'une face sur le bord de s'échouer sur le sol, comme quoi il n'est de lieu où ne s'exprime au moins une certaine tension vers la beauté, même dans la détresse, et peut-être surtout en elle.

L'Apôtre est revenu m'offrir une brochure de propagande sur la mystique paulinienne du Christ, rédempteur des déchus, et me rappeler qu'on n'est jamais seul à être seul, que le bien pourrait m'arriver sans que j'aie à l'arracher à quiconque. En fier païen, j'ai opposé une face indifférente à cet évangéliste marqué par l'étroitesse des prédicateurs les plus farouches, qui cherchait à me convertir par l'effet d'une compulsion d'ordre et d'uniformité. J'ai rétorqué que si j'avais voulu faire vivre en moi le sentiment d'un grand tout, je n'aurais pas eu besoin d'une cathédrale. Un Amérindien certifié n'aurait pas mieux dit. Je comprenais soudain pourquoi les personnes de bonté qui s'enorgueillissent de leur bénignité m'avaient de tout temps irrité, comme les gens heureux, surtout les plus contents de leur bonheur.

L'Apôtre m'a remis le walkman qui m'avait aussi été confisqué à l'arrivée, comme le Nagra et les cahiers, avec quelques-unes des cassettes de musique. « Et vous ne craignez pas que je me tisse une corde de pendu avec les rubans ? » Avant même qu'il ait quitté la cellule, tandis qu'il me faisait la leçon sur les choses à dire ou à ne pas dire pour se faire des amis, j'ai commencé de me soumettre à la mesure saccadée de *Barnum & Bailey's Favorite*, une marche qui accompagne les grandes finales du cirque. Au moment de partir, il a souri : « Unis par la prière…

— … vaut mieux que punis par l'arrière, je sais ! »

Il en avait entendu de pires, l'Apôtre, bien que de la même espèce ; comme de juste, il ne s'est mépris qu'à moitié à cette provocation. Autant donc aurait valu que je reste campé dans mon désintérêt et ne le convie pas, par une bravade, à revenir plus tard me convertir. J'ai fait jouer la cassette pour réparer mon sens du rythme, mais quelques secondes à peine, car je ne veux plus rien écouter, sinon ce que je porte en moi ; écouter l'autre ou l'ailleurs me coûterait de prêter attention à ce que je ne peux plus entendre. Suis quasi sans failles mais pas sans stigmates et veux vivre sans larmes.

Je n'avais presque pas dormi depuis soixante-douze heures, et pourtant ma panique s'appliquait à tout autre chose, à savoir une douleur dans l'ombilic. L'Adage est entré sur la pointe des pieds et m'a surpris en plein examen du bout de mailloche, enflé comme une poignée de porte, qui me sert de nombril. « Qu'est-ce que tu cherches là, mon Gésu ? » J'aurais voulu répondre : « Regarde ça, l'Adage, c'est un nombril, une cicatrice qui ne s'efface pas et qui refuse de se faire oublier dans un coin. Il ne me reste que ça d'elle, pas de photo, pas de baptistère, même pas de nom ou de prénom, pas d'adresse, qu'un nombril en douleur, qu'une empreinte si pâle que rien n'y paraît

plus lisible.» Au lieu de cela, j'ai lancé un «Pas de tes affaires!»
qui n'appelait en rien ce que j'aurais pu espérer de lui.

Il y a cet instant fugace, quand on vague dans un parc ou
sur une place et que, tête en l'air, on n'a pas vu venir la chute de
palier ou la marche descendante; il y a cet instant de perdition,
court, si court que la peur ne touche l'esprit qu'après que le pied
s'est brutalement posé vingt centimètres plus bas que prévu,
provoquant un curieux désarroi corporel! Il était, l'Adage, dans
cet état de stupeur qui tord le dos. «Bon, bon, ça va, maintenant, lâche-toi la cicatrice, rentre ta poignée, calme ton pic et
suis-moi.

— Non! pas une autre séance d'interrogatoire! Tout a été
dit et entendu!

— Qui a bu toute la mer en peut bien boire encore une
gorgée. C'est un dicton italien qui me vient de…»

Il aurait fallu lui dire, pour qu'il le répète aux autres, que
les dragons ont une écaille sous la gorge et que la leur enlever les
rend fous. Les prévenir, aussi, que le poignard qui m'habite ne
s'est pas défait, qu'il y a une part indivisible en moi qui me
retient et m'attache à ce cher pic. Mais ce qui m'a décontenancé,
m'a coupé la parole et le souffle, on m'a mené dans un bureau
que je ne connaissais pas, sans barreaux, sans miroir, même sans
gardiens. C'était déjà défaire une habitude presque rassurante.
Heureusement, il y avait là ceux que je connaissais.

C'est le Snoreau au chapeau plumé en vert qui portait la
nouvelle : «Ils vont vous remettre vos affaires et vous serez libre
tout de suite après, vous n'avez plus à vous inquiéter de rien.

— L'autopsie, a rajouté la Pyramide, a montré ce que
nous attendions, que la mort de Washington Desnombres
remonte à la nuit de mardi à mercredi, alors que vous étiez déjà

parmi nous. Nous avons été bien inspirés de vous garder, n'est-ce pas ? Vous êtes donc relaxé, mais interdit de sortie du territoire provincial. Le bureau Dundee, Connaugh, Shetland, Holyhead et Snoreau classe l'affaire, mais la justice doit encore s'assurer que vous n'êtes pas partie prenante dans cette histoire.

— Moi ! pas dans cette histoire ! Moi ! pas dans cette histoire ! Moi ! pas…

— Je ne vous raccompagne pas chez vous, a conclu le Snoreau, qui me pinçait le bras de ses doigts maigres. Je dois m'occuper de clients détenus à Québec, Madame Siebel-Desnombres et un certain chauffeur de taxi, Monsieur Maïr Kenneth Wolk, domicilié rue Mozart… Mais je passerai vous voir en fin de journée, j'aurai quelques questions à vous poser à leur sujet. »

Ils ont fait comme si je n'existais plus, ont échangé des politesses, s'offrant un café contre un détail de dossier, un sourire contre rien du tout. Je n'avais été qu'un événement qui, comme tout événement, est destiné à s'interrompre et à couler dans l'oubli. Pas lieu de s'y attacher. Ça reste inexplicable, mais à ce moment précis, je me suis trouvé coincé dans une répétition du temps. Il y a eu une période de quelques secondes qui s'est répétée, qui s'est répétée, qui s'est répétée. La Pyramide virait les talons et l'avocat Snoreau dévoilait sa nuque dans un brusque mouvement de rotation, et cette action se reproduisait, se répercutait sans que ni moi, ni la Pyramide, ni le Snoreau, ni les autres y puissent rien. Eux, mais eux, se rendaient-ils compte que le temps se moquait aussi d'eux autres ?

Ils ont conservé les effets de Desnombres et m'ont remis mon accoutrement, le casque, les lunettes, de même que les rubans de l'encyclopédie et les cahiers et carnets, qu'ils désignaient sous le nom de journal, et que j'appelle mes dictées. Je me suis retrouvé comme dans l'altitude d'une mélancolie, étourdi, à bout d'air, embourbé dans un brouillard de somnolence. Certains, parmi les désespérés des cages, auraient ajouté l'éboulement psychique à la desquamation affective, se seraient ouvert le crâne par le sommet à vouloir fracasser les murs, moi pas. Je serinais comme un enregistrement en boucle : *Non, pas l'abandon ! / S'il vous plaît, pas l'abandon ! / Non, pas l'abandon !* À rejeter, parce que d'une conscience trop immédiate pour l'esprit spek.

Je ne savais pas comment exiger qu'on ne me tienne pas à l'écart de ce qu'il y avait à vivre. Je demandais plutôt : « Qui croyez-vous que je ne sois pas ? » Ils me disaient vulnérable, je m'estimais plutôt meurtri, spolié, abîmé.

L'abîme abîmé,
l'abîme abîme abîmé,
l'abîme abîmé.

À la sortie de la centrale de police, les arbres battaient des branches pour produire du vent et tenir gonflés ces cubes immobiles qui servent d'habitations. La terre aspirait les nuages, qui s'effritaient en gouttes serrées, jusqu'à effacer l'horizon disloqué des toits, mais tout ça, la ville, les quartiers, la rue, ne charriait plus rien de tonique ni d'engageant, comme si ce n'était plus que ma cellule en expansion... là où j'avais au moins été quelque chose. Pharaon sans pyramide, j'étais comme le chien qui, perdant son maître, se trouve privé de son être. Le voile était levé, mais il fallait encore attendre quelque chose, n'importe quoi. Trop tard pour implorer : « Retenez-moi un peu que je voie ce que je fuis. »

Fait rare au-dessus de l'Île, un volier d'oies sauvages, c'est la saison, a traversé le ciel, direction nord-est, cacardant des caûc fondus en chant choral. Aller me mêler parmi elles, casque et lunettes au vent, presque au ciel, puis me poser quelques jours au cap Tourmente après avoir suivi des fleuves et franchi des petits mondes, ç'aurait bien fait ma joie. Il s'est trouvé qu'à la place j'ai entrepris de compter les craques de trottoirs.

En cette saison où chacun approprie ses enjambées au temps qu'il fait, il m'a fallu rentrer à la maison à pied, traînant une jambe lente que parfois j'oubliais presque derrière moi. J'avançais comme à vélo, casqué, masqué, plutôt farouche parmi les pierres et les solitaires, dans ce qu'ils appellent le vacarme des jours, convaincu de ne rien vouloir ni pouvoir, de ne rien savoir ni devoir faire. Me tenais comme toujours à portée de ma devise : n'être rien parmi personne et demeurer différent de tous. N'ai jamais été et qu'on ne me demande pas d'être de ces assimilés, bien dans leur Plateau et dans leur peau, qui voilent leur trouble de faux-semblants et de babillages ; non, mon truc à moi, c'est l'anonymat dans la différence.

Me suis déjà laissé dire par les sœurs de la Charité qu'à défaut d'être bel enfant j'aurais paru bouleversant, à cause des yeux noirs surtout, mais ça n'aurait pas duré, on aurait vite cessé, dès que je les aurais eu lavés, de se retourner sur mon passage ; et quand, plus tard, après l'orphelinat et l'École des sourds et muets, on s'est remis à me discerner au milieu de la foule, c'est que, de ma propre volonté, j'étais devenu une caricature dans ma dégaine de traqué à visière d'aviateur. Ce jugement, qu'importe que ça se sache, jamais ne m'a offensé ; on dirait plutôt que ça assure ma tranquillité que de n'être pas perçu comme tous.

La côte Sherbrooke m'a été aussi dure qu'aux éméchés, qu'aux givrés, qu'aux naufragés. Caillou dans le soulier de la ville, je m'accompagnais, ni en joie ni en peine, mais seul et en vain. Je ne reconnaissais quoi que ce soit, comme si je ne pouvais m'absenter quelques jours du lieu commun sous peine de me retrouver sous le joug d'une mémoire diffractée du monde. Dans le parc Lafontaine, je me suis couché face au sol pour sentir par le ventre le croisement de deux vibrations, un pouls et un battement d'artères. C'était l'heure des adolescents, qui se composent en gerbes comme les vacanciers du dimanche dans les tableaux impressionnistes. Les filles affichaient une innocence rêveuse toute contraire à la gravité de ces femmes de la quarantaine qui appréhendent de voir s'émousser le désir des hommes. Les garçons se grattaient le cul pour avoir l'air de ce qu'ils deviendront. Tous m'ont retourné mon indiscrétion par des œillades impitoyables, comme quoi un regard peut en abolir un autre.

J'ai jeté des copies du haïku abîmé dans l'abîme de la poste afin qu'il rencontre le double spek de Tino Mongras, connu dans ce micromilieu, tout en demeurant plus ou moins anonyme, sous le cryptogramme d'emprunt de Magnos Rotin. Sont pour le moins hallucinants ces pseudonymes anagrammatiques — c'est comme ça qu'ils disent — où chacun redistribue les lettres de son nom pour s'inventer une identité parallèle qui ne figure que le double désordonné de la désignation officielle. C'est ainsi que j'ai fait des envois à certains Crétin Paré, Perrine Cat, Terri Pécan, René Pratic, de son vrai nom Éric Parent, Pet Ricaner, qui a récemment changé pour Ric Trepane, Cap Terrien, qu'on avait connu sous le nom de Pat Cerrien, à Ti-Pen Carré, à l'adresse de la prison de Bordeaux, qui n'est nul autre que le faussaire Peter Crain — que Tino et les autres purs du réseau Spek me pardonnent ces indiscrétions ! —, aussi à la ukuléléiste Rita Pencer, qui utilise comme pseudonyme spek son véritable nom, Tina Perrec, comme le peintre René Picart, né Ric Parente, à Caïn Perret, mieux connu dans le milieu des travestis sous le surnom de Pine Carter, enfin à la Maison du Père, un refuge pour sans-abri, au nom de Pier Carnet, un ancien collègue de biologie devenu itinérant par vocation, et qui se fait appeler le Prince Raté... Quand je pense qu'y a des timorés qui vivent toute une vie sans se dédoubler !

Je traînaillais dans le Plateau, comme suivant les pas d'un revenant, rôdais parmi des faces de déterrés, des épris de certitude, à qui tout paraît réel parce qu'ils se savent vivants, qui vont répétant que la réalité de la corde rend le serpent plausible, je dirais plutôt que la corde est rendue vraisemblable par l'option serpent, que l'irréalité des choses préserve l'impression de vivre. Des ventres vides couraient mettre en gage, qui sa Timex, qui sa Smith Corona, qui son Mac, qui sa RCA Victor, qui sa Pioneer, qui son Minolta... La circulation s'intensifiait près des centres de croissance personnelle et de clairvoyance, autour des brocanteurs et des fripiers. À croire que les valeurs personnelles fluctuent avec le dollar... Mais je ne vais pas faire le sociologue ni enfourcher des ailes de colombe et me mettre à brailler qu'on n'a pas assez pour vivre, mais qu'on vit quand même, comme de bien entendu, et qu'on trouve toujours la petite somme pour l'acuponcteur, l'homéopathe ou le plateauthérapeute de fortune.

J'étais encerclé par la différence. Un itinérant, vingt policiers à grosses foufounes, l'aigle de Jean ; une minoune du type Chevrolet 1960, quinze bicyclettes, le bœuf de Luc ; un abribus, dix guidounes chassées de la Main, le lion de Marc ; un directeur de banque, cent fauchés du genre gros oiseaux qui n'amassent pas mousse, l'ange de Matthieu ; des graffitis appelant Elvis au gouvernement ou souhaitant longue vie à l'éphémère, le mouton de Jean-Baptiste. Tout ne trouvait sens que dans le détachement.

Les jaseurs des carrefours semblaient divisés sur les matchs à venir entre les Bleus de Québec et les Noirs de Chicago, symbolisés par un profil de camée amérindien, mais on ne saisissait pas toujours ce qui était soupesé dans ces jugements, la valeur des équipes ou le rapport affectif à des villes, à des êtres, à soi-même ou à son père… Je ne reprenais pas sans peine ma gueule de plateaucanthrope.

Près de la maison, à l'angle de la ruelle, j'ai croisé le Tatoué d'en haut au bras dodu de l'Ouillouilleuse, qu'il m'a présentée comme sa Lolo. Elle a prétendu qu'elle était ravie qu'on m'ait libéré. Elle était avec moi si spontanée, si familière ! qu'il m'a semblé qu'elle jouait la comédie, mais qu'importe puisque c'était pour me faire plaisir. Elle s'est étonnée que je ne la replace pas. Mais oui, bien sûr, on se croisait parfois dans le quartier… « Mais on s'est connus bien avant ça, Gésu ! vous ne me reconnaissez donc pas ? Lolo Mongras, la petite sœur d'Omer et de Tino Mongras, vos complices. J'étais haute comme ça quand vous faisiez les quatre cents coups avec mes frères. Et je vous tournais autour comme si vous aviez été le soleil, vous vous souvenez ? C'était au temps de vos premiers canulars… »

Certes, quelques rares images d'une autre époque resurgissent à l'occasion, pêle-mêle et sans explication : les genoux de la petite Lolo, une voix de chienne blanche déclarant « faut être un arriéré mental pour se savonner les yeux ! », les corridors de l'orphelinat saturés d'encaustique, le regard des enfants muets, cette sœur de la Charité qui m'aurait campé devant un présentoir de chocolats, en récompense d'un résultat scolaire, sans doute, quoique ce soit peu probable, et m'aurait permis de choisir ; me serais senti à l'aise avec l'hésitation, mais pas du tout avec le choix, car il aurait déjà été de mon caractère d'attendre que les choses se décident d'elles-mêmes plutôt que de les mettre en train. Je n'ai jamais rien décidé qui concerne mon propre sort, tout m'a été dicté, même les canulars, qui étaient au départ des canevas et scénarios de l'un, de l'autre, de sa mère ou de sa sœur… « La petite Lolo ! avec la jupette craquée, qui voulait devenir secrétaire du dalaï-lama ou acuponctrice de Mao Tsé-toung ! Je n'en reviens pas ! Et on dira que la vie n'est pas faite de boucles, de relances et de reprises…

— C'est vous qui m'aviez mis ces idées en tête avec vos récits de voyages dans des pays exotiques…

— Mes récits de voyages ! mais quels voyages ? Je ne suis jamais sorti de la vallée du Saint-Laurent qu'en pensée…

— Vous en parliez, en tout cas, de ces contrées lointaines, comme si vous les aviez fréquentées de près. Je me souviens de descriptions d'un tombeau de saint Patrick, dans la cathédrale de Downpatrick ; de rivalités, dans les Lowlands d'Écosse, entre Édimbourg, la ville culturelle, et Glasgow, plutôt commerçante et industrieuse ; de niches funéraires et de fresques des catacombes de Saint-Janvier, à Naples ; d'hippocampes séchés, de cornes et de testicules de cervidés calcinés, de bottes de millepattes vendus au marché couvert de Qingping, à Canton ; d'un centre de quarantaine pour les immigrants du dix-neuvième siècle, à Grosse-Île, dans le Bas-Saint-Laurent… »

Cette faculté de feindre une vie entrevue, mais jamais vécue, œuvrait sans doute déjà. « Quelle mémoire ! Et en fin de compte, vous avez beaucoup voyagé ?

— Non, ça n'a pas été possible, et pour tout dire, j'ai vite compris que je n'aimais pas trop tous ces détours pour à la fin revenir à la même place. Je peux trouver un certain plaisir à partir mais déteste revenir, sans compter que je ne suis pas à l'aise hors de mes affaires personnelles, vous comprenez?»

Il y a eu commerce de regards ironiques. Le Tatoué, qui ne saisissait pas le fondement de cet échange, m'a proposé de travailler pour eux au lieu de perdre mon temps dans le taxi. «Mais qu'est-ce que vous faites à part... je veux dire : qu'est-ce que vous faites comme travail?» Il a expliqué qu'ils exploitaient une ligne érotique, mais que leurs téléphonistes, qui s'étaient déclarées en phase de syndicalisation, avaient fait la grève, et que sa Lolo et lui venaient de prétexter une restructuration de la business pour foutre le personnel à la porte et fermer la PME. «On relance l'affaire à Verdun, ces jours-ci, sous le nom de La Ligne à péché. Ce qu'il nous manque, à présent, outre deux ou trois téléphonistes, c'est un artiste pour dessiner les affiches et les publicités à mettre dans les journaux.

— Je connais quelqu'un qui adore dessiner des corps de femmes nues.

— Est-ce qu'au moins il dessine avec talent?

— Ah! c'est pas un gars, c'est une fille, qui semble capable d'art et d'intelligence. On peut la trouver au Café Ollé ou au Macrobiote...

— Une dessinatrice! ça c'est une idée géniale pour calmer les... je me comprends.»

La Lolo dévisageait le Tatoué en se tenant la tête penchée et les yeux très grands ouverts, avec l'air de dire : un mot déplacé sur mes sœurs de la cuisse gauche et je te prive le p'tit frère de câlineries pendant un mois! «Faudrait l'appeler tout de suite, cette fille, parce que nous, on part lancer une succursale et même vivre à Québec d'ici une huitaine de jours. Ça fait du bien, parfois, de changer de paysage et de...

— Vous allez à Québec!

— Tu veux venir avec nous ? On cherche justement une voix d'homme pour recomposer le duo avec Lolo, parce que moi je m'occuperai surtout de la comptabilité, l'administration, tu comprends… La besogne est pas compliquée : si tu travailles en solo, t'as qu'à répondre à quarante, cinquante appels par nuit, si tout va bien, mettons une demi-douzaine à l'heure. Y en a plein qui aiment les voix éraillées comme la tienne, des filles, des gars… Si tu travailles en duo avec Lolo, t'as qu'à t'égosiller comme sur la trampoline conjugale. Rien qu'à te voir l'instrument du pantalon, on devine que tu serais bon là-dedans. Te resterait plus qu'à apprendre à mettre les bons mots à la bonne place, à barrir comme un éléphant en rut. Mais tu nous as peut-être déjà entendus, le soir, quand on déroute certains appels pour travailler à la maison… »

Le travail, vraiment… à la maison, dit-il… le soir ! Je me suis senti, moi, maître ès canulars, trompé, mystifié par ma candeur béate et niaise. Il m'apparaissait d'un coup que toute chose autour, objet, fait, événement, me menaçait de tromperie, me faisait face et violence sans que je sache m'en défendre. J'étais assigné à crédulité permanente, débouté de la prémisse de complémentarité qui permet de comparer, de mémoriser, de comprendre des fragments d'une vie étouffée par l'épaisseur de la multitude. Ça m'a remis en mémoire le principe de docte ignorance soutenu par Nicolas de Cuse, ce théologien allemand du quinzième siècle, ami des astronomes, des géographes et des mathématiciens, parce que lui-même un peu tout ça à la fois, à une époque où il était permis d'être soi-même plus d'une chose sans démériter de l'une ou de l'autre, qui conseillait en toute circonstance la conscience de ses limites.

Lolo m'a pénétré d'un sourire tout le contraire de minaudé, de façon à rendre sa présence secourable. Des vents en ciseaux se sont levés. Au milieu de cette croisée d'émotions, j'ai demandé à réfléchir. Il fallait que je me sauve, si je puis dire… Comme ils allaient poursuivre leur route, je les ai pris au polaroïd dans la posture pivotante et floue du voyageur à deux têtes. Je n'ai pu m'empêcher d'inscrire : *jeux amoureux / travail / facticité / forfaiture.*

Dans le décor pétrifié de l'appartement, j'ai songé à brûler les mannequins dans un magistral potlatch sacrificiel, puis il a paru plus sage de laisser la décision au prochain occupant, des fois qu'il serait de ma sorte, si ça se peut.

La boîte vocale louée à *Voir* regorgeait déjà de messages : des renseignements en retard sur la conclusion de l'épisode Desnombres, des témoignages d'admiration à l'adresse du mathématicien, du philosophe, de l'harmoniciste ou du copain de nuit, aussi des blagues faciles : avez-vous retrouvé votre joueur de baseball ? des invitations à fréquenter des bars de jazz, dont certains clandestins, à suivre des cours de tango argentin, à m'intéresser à la joaillerie, à faire le train de nuit, au square Viger, avec des torses poilus, à me rendre dans le Bas-Saint-Laurent où l'on a la certitude de savoir Washington Desnombres caché chez des membres d'une secte d'adorateurs de l'oignon, qui vont bientôt le guider jusque chez des intra-terrestres, si tout va pour le mieux.

Le courrier recueilli dans l'entrée, quatre lettres et une carte postale, pour urgent qu'il ait voulu paraître, souffrait de ce qu'il n'était pas inattendu.

D'abord une enveloppe cuisse-de-nymphe, adressée à Marin Marin, sans affranchissement ni adresse de retour, contenant une invitation à assister au lancement de *Tinobiographie,* hier soir! mercredi — scusez, j'étais en prison! —, à la Bibliothèque presque aussi nationale que Tino Mongras, en présence du sous-secrétaire du sous-ministre de la... Culture; et au dos du carton, un haïku spek à l'origine aisément assignable, et pour cette raison rien que bon à friper : *Te tiens à l'écart / Pour conserver aux haïkus / Leur détachement.* Leur détachement, oui, mais d'une splendeur aiguë, ou rien du tout, cher Tino! Est-ce à moi de te le rappeler?

Ensuite une enveloppe expédiée d'Hep Taxi!, sans doute une lettre de renvoi, que j'ai aimantée au réfrigérateur pour ne pas me flanquer dans une entreprise interminable de dispute.

Une autre lettre, plus menaçante que personnalisée, par laquelle le proprio annonçait aux locataires l'imminente transformation de la maison en «copropriétés divises» et nous enjoignait de vider les lieux d'ici la Noël, ça tombait bien, du moins pour moi.

Puis une enveloppe de l'hôtel Primrose, aussi pour Marin Marin, timbrée et oblitérée à Montréal, portant un haïku spek sur un feuillet de bloc de l'hôtel Le Marmiton de Trois-Pistoles, dans le Bas-Saint-Laurent, envoyé dans le respect des règles de l'art, sans adresse ni signature, le dernier message de Washington Desnombres sans doute, un pastiche de Pavese, le Piémontais tourmenté, dont j'ai lu l'autre jour, au poste de police, la reproduction du passage d'origine dans un de ses carnets.

> *Quand la vie est morte*
> *Que tout en soi est meurtri*
> *On meurt et c'est tout*

Ça aussi, trop directement assignable, bien que bon à méditer; ce que j'ai remis à plus tard.

Enfin, une carte postale noir et blanc, postée à Québec par la Siebel, signée Denise Diderot, et adressée à Marin Renard —

238

elle ne parviendra donc jamais à saisir mon nom! —, qui présentait, d'un côté une plongée dans la rue du Sault-au-Matelot, avec des filles, des marins à pompon et des automobiles du milieu des années quarante, de l'autre côté trois lignes d'une écriture enflée, un haïku spek défectueux ou une ironie un peu gauche, je ne saurais dire, ou les deux à la fois, en tout cas des mots tendres mis en travers qui m'ont blessé, parce qu'ils me confirmaient qu'elle aimait ailleurs, et qui m'apprenaient qu'elle tenait un nouveau savoir déconcertant:

> *Partout où c'est blanc,*
> *Lisez ma tendresse pour vous.*
> *Trouvé votre mère...*

Je respirais d'une respiration prête à s'éteindre. Voilà.

DICTÉE 17

Où Gésu Retard se portera vers des lieux qu'il porte
pour échapper à ce qui lui échappe

Je n'allais pas faire attendre le proprio, mais avant d'abandonner l'appartement, comme devenu étranger dans mon familier, je l'ai débarrassé du pire de ma banalité en jetant dans la ruelle, pour la cueillette des ordures plateaugènes, les télés, les radios, les lampes de chevet, les horloges, les classeurs, les plantes en pots, la bouilloire, les haïkus, l'aquarium et le poisson Mazout, bref tout ce qui se laissait prendre. S'il y avait eu des miroirs, je les aurais sortis comme le reste, mais rien ne miroitait chez moi, sauf le grille-pain, qui rouillait déjà dans la ruelle. Le téléphone s'est mis à résonner. Les voisins recueillaient tout au fur et à mesure, à la fin sans discrétion. Il n'est resté que des ustensiles de plastique dans la renouée, la ouananiche congelée, du pain et du tabac émiettés dans la boue de la cour ; aussi, dans la ruelle, les cantines de métal contenant les textes divers écrits au long des dernières années, la plupart au conditionnel, mais personne ne semblait vouloir se réchauffer à ce verbiage. J'ai pris un lavement pour calmer une douleur dans l'ampoule rectale. Le téléphone continuait de sonner. J'étais encore accroupi quand un éclair a fait déborder ma lucidité. M'est alors apparu que j'avais toujours eu des problèmes avec mes trous : conjonctivites, otites et sinusites à répétition, abcès, orgelets, herpès, urétrites, hémorroïdes, chute du cordon ombilical et infection du nombril, tout eu, toujours eu un trou qui m'irritait, donc jamais été sans avoir quelque chose à réparer. « Allô ! »

C'était sans doute vraiment la Siebel, puisque c'était sa voix. On lui avait permis de m'appeler, disait-elle, de la centrale de police de Québec où elle était détenue avec Maïr K. Wolk. Les choses, avec les Desnombres, ne se passent jamais comme avec les autres. Elle prétendait avoir soudoyé des fonctionnaires et retrouvé celle qu'elle appelait ma mère biologique, dans la réserve montagnaise de Betsiamites, sur la Basse-Côte-Nord. « Vous savez que vous avez un frère à Québec, et qu'il y a eu deux autres garçons avant ce tardillon, mais ils sont morts ensemble dans un accident d'automobile sur la Côte-Nord… » Une question et celle-là seule tournait en boucle dans mon esprit : peut-on mourir ensemble, c'est-à-dire autrement que chacun pour soi, d'une autre manière que seul ? « Ce jeune frère, il joue pour l'équipe de hockey de Québec…

— Mais il n'y a pas, que je sache, de joueur qui s'appelle Retard dans cette équipe, ni dans aucune autre d'ailleurs. En fait, il n'y a personne qui s'appelle Retard, pas même moi, en vérité.

— Alors là, vous avez raison. D'ailleurs, votre véritable nom, je vous l'ai mis sur la carte postale. Vous l'avez bien reçue ? Vous n'avez pas perdu la carte ?

— Sais pas, sais plus…

— Votre véritable nom, enfin, celui qui vous vient de votre mère, c'est Renard.

— Renard... comme le capitaine des Bleus !

— Oui, celui-là même, paraît-il, et votre prénom, c'est Marin. Je crois que c'est ça que Washington était venu vous dire, ça et bien d'autres choses, sans doute, puis il y aura renoncé pour une raison ou pour une autre, judicieuse à ses yeux. J'ai appris qu'il était venu jusqu'à Betsiamites lors de son voyage précédent...»

J'aurais donc, à l'âge adulte, choisi comme pseudonyme spek une forme redoublée du prénom que m'avait donné la Montagnaise, et que je croyais demeuré dans les poubelles de l'enfance ! «D'après votre baptistère, ce sera demain votre anniversaire, vous aurez cinquante ans. Et un autre détail : selon votre mère, votre père était bel et bien un marin venu d'Ir...»

J'ai raccroché sec avant qu'elle ne s'engage plus avant dans le pedigree. Ne sait-on pas, ne comprend-on pas que je ne puisse gérer tant d'informations nouvelles à la fois ! Faut pas trop en mettre d'un coup sur les épaules d'une complexion délicate comme la mienne. J'ai ressenti comme un inconfort dans le cœur et un engourdissement, une léthargie dans l'aine...

J'étais coincé dans les volets d'une question foudroyante. Qu'est-ce donc, à mon arrivée à l'orphelinat des sœurs de la Charité, qui m'aura fait passer de Renard à Retard ? L'écriture hésitante de la Montagnaise — si tant est qu'elle ait laissé une note écrite piquée dans ma chair —, une erreur de lecture, une ironie peu charitable des Sœurs, un hasard, un sort, un destin ? Ça ne laissait pas de m'embrouiller l'esprit.

Ça sera donc demain jour officiel — réel ? je ne sais pas — de mes cinquante ans. Cinquante fois le tour du soleil sur une poussière d'étoile, c'est quelque chose, mais aussi très peu : à peine deux cents saisons, j'ai fait le calcul avec un marqueur sur la table de la cuisine, six cents mois d'une vie bousculée, deux mille six cents semaines, un peu plus de dix-huit mille jours, un pet dans la grande vie du cosmos ! et pourtant, le plus gros de la tarte est bouffé… J'entretiens une curiosité morbide pour certains chiffres que la statistique occulte par le fait de notre ignorance quant aux choses de la vie et de la mort : quel numéro portera mon dernier battement de cœur ? quel rhume sera le dernier ? quel sera le nombre culminant de petits-déjeuners aux crêpes, de collations au saumon fumé volé, de pizzas aux quatre fromages, de desserts aux trois chocolats ? à combien de randonnées à bicyclette aurai-je droit et à combien suis-je rendu ? Comme s'il était des gestes à retenir pour repousser le méchant instant de se quitter !

Je ne dirai rien à personne de cet anniversaire, à Lolo et au Tatoué surtout, ils pourraient décider de me faire ma fête.

On a sonné à la porte, comme si c'était le moment ! et comme si j'avais besoin d'ajouter aux miennes les poignées de questions de l'avocat Snoreau : pourquoi est-ce que je vidais la maison ? qui avait réalisé cette scène sculptée au plafond ? est-ce que je savais qu'il était de part dans le No Hope avec les MacBos, père et fils ? est-ce que je croyais que ses décorateurs, des artistes punks, adopteraient le principe d'une voûte comme celle-là ? est-ce que j'avais pris l'idée dans un bar américain, à New York ou à Los Angeles ? ou à Londres ? est-ce qu'il ne faudrait pas peindre ça dans des tons plus choquants ? qu'est-ce que j'entendais faire de tous ces mannequins mutilés ? est-ce que je les apportais avec moi ? Me revenaient soudain à l'esprit des morsures de litanies subies chez les Sœurs. « Prenez-les, les mannequins, tous les mannequins, ils sont à vous, mais à deux conditions : la première, c'est que ça mette un terme aux questions…

— Mais j'ai besoin de savoir, à propos de Siebel-Desnombres et de Maïr K. Wolk, si…

— Les questions ou les mannequins, vous choisissez.

— Et la seconde condition?

— Nous échangeons nos chapeaux.

— Le tyrolien de Washy contre vos casque et lunettes d'aviateur!

— Rien que le casque, et vous vous engagez à le porter durant un mois avant de l'échanger contre un chapska ou un casque d'ouvrier de la construction.»

Le Snoreau, chez qui le bon goût a tout l'air de tenir lieu d'intelligence, m'a fait signer un papier par lequel je l'autorisais à tout faire emporter en échange d'un tyrolien usagé, ce dont je le remercierais dans vingt ans, puis j'ai mis des X sur ma signature usuelle et suscrit Renard. Le Snoreau a pris un air de mots croisés abandonnés : «Vous vous appelez Renard maintenant!

— Comme dans Maître Renard, par l'odeur alléché, oui, et comme le vieux renard qui laissa sa queue pour gage dans un piège, comme maître Renart qui, perdant son sang par plusieurs blessures, s'enferme derrière les murs inviolables de Maupertuis, comme le renard qui implore le Petit Prince de Saint-Exupéry : "S'il te plaît… apprivoise-moi!" C'était mon nom, paraît-il, dans le bas monde de l'enfance.

— Renard! comme le joueur de hockey de Québec, qui a marqué presque tous les buts gagnants contre le Bleu-Blanc-Rouge!

— Ou plutôt lui comme moi, oui.»

Le Snoreau congédié, j'ai composé le numéro de Tino Mongras et suis tombé sur le répondeur, comme je le souhaitais : «Je suis peut-être là, j'en sais rien, disait-il sans se nommer, et si j'y suis, j'ai pas le goût de répondre. Enregistrez un message après avoir laissé le bip s'exprimer, je verrai ensuite s'il y a lieu de rappeler.

— Tino! c'est Gésu, ou enfin Marin, je veux juste te dire que tout ce que j'ai écrit au long des années, des choses qui ne sont ni des poèmes, ni des fictions, ni des essais, des choses qui ne sont rien, en fait, et qui sont demeurées inédites parce que l'idée de ton jugement me terrorisait, tout ça, ça se trouve dans des cantines de métal qui ont été abandonnées sur un tas de poubelles, dans la ruelle derrière mon appartement de la rue Saint-Denis, que j'ai dû vider pour aller m'installer à Québec. Les éboueurs passent ce soir. Je te laisse à toi, et un peu au hasard, le soin de décider du sort de ces papiers. Je ne prétends pas qu'ils vaillent qu'on se donne de la peine… »

Il y a eu un second bip, celui-là marquant la fin du temps de message, alors j'ai recomposé : « Tino, c'est moi de nouveau. D'ici à peu, disons une heure tout au plus, je posterai à ton adresse huit cahiers et carnets qui résument une expérience de vie observée en moi-même au cours des derniers jours. Il faut que je me débarrasse de ces dictées avant de passer à autre chose, qui n'est pas sans importance pour moi. Pourquoi je t'en préviens? Eh bien, parce que l'épisode résumé n'a rien de banal. D'ailleurs, c'est pas au membre du réseau Spek que j'envoie ces cahiers, mais à l'ami qui peut me lire comme s'il m'entendait… Que tu veuilles plus me parler, ça me dérange, mais plus tant que ça, puisque je pars… » Bip.

Je m'en suis allé par la ruelle pénombreuse sans me retourner sur la touffeur dormante de l'appartement, en longeant le mur des carmélites, avec pour seul bagage le polaroïd et le Nagra sur l'épaule, les bandes de l'encyclopédie au dos et les dictées au flanc, dans leurs carnets et cahiers cryptés. Je m'éloignais d'une étrange lourdeur de pas, comme quand on revient à pied de patiner ou de faire une randonnée à bicyclette. Je portais le tyrolien et les lunettes d'aviateur, ça va de soi — on n'apprend pas si vite à voir le monde en direct.

Je m'amusais de la perspective offerte par la rangée d'escaliers, tous de fer forgé et dont le colimaçon se visse dans le ciel les jours de bas nuages, quand je suis retombé sur Lolo et son Tatoué. Il y a eu un intermède de paroles mondaines, puis le mutisme a repris son cours quand j'ai remonté les lunettes sur le front. Lolo m'examinait de la tête à la fourche d'un drôle d'œil. Je croyais en avoir l'habitude, mais là, sa stupeur contenait de la consternation. « On dirait que vous n'avez plus votre...

— Oui, j'ai échangé mon casque d'aviateur contre ce tyrolien qui appartenait à...

— Non, c'est plutôt la bosse, vous n'avez plus votre gros paquet à la fourche ! La protubérance... »

En grattant du pied, j'ai mis au jour l'existence nue d'une pierre dont le silence a surgi comme une menace de quasi-éternité. Je me sentais comme une cage à la recherche d'un oiseau. J'étais en perte de tumescence, j'avais désenflé de la verge, dégonflé de la tringle, déboursouflé de la barre.

« Tu viens tout de même avec nous à Québec ? » a murmuré le Tatoué. Je n'ai laissé échapper qu'un mouvement de tête qui ne voulait encore rien dire, mais ils l'ont perçu comme ça leur convenait. « Ah ! très bien ! » a fait l'un. « Je suis certaine qu'à nous deux on va quand même leur offrir de ces orgasmes ! On va les mystifier comme au temps des canulars... » a renchéri l'autre. « Et pour la dessinatrice ? » a repris le Tatoué. J'ai pensé que cet acharnement du hasard ne voulait pas rien dire. « Dès après que j'aurai jeté un certain paquet de cahiers et carnets dans une boîte aux lettres, j'irai la chercher dans les cafés plateauniques, si vous voulez…» Celle-là, elle a besoin de ne pas s'évaporer comme les autres, quoiqu'en principe elle devrait se trouver sans difficulté puisque je ne la chercherai pas pour moi-même. Mais comment l'aborder sans l'assombrir par le sentiment d'un amour impossible ou sans céder à une froide courtoisie? Cette maudite froideur! «Tiens, je t'ai mis sur ce papier l'adresse de notre bureau de Québec. On va habiter à l'étage, Lolo et moi. Il y a un petit appartement sous les combles, si ça t'intéresse. Cette fois, tu serais au-dessus de nous… On devrait déménager dans une semaine, le temps de roder la succursale de Verdun. Et toi, quand pars-tu?

— Je crois que je suis déjà parti.

— Mais Gésu…

— Marin.

— … avez-vous quelque part où coucher à Québec?

— J'y ai un frère, tout un buteur, à ce qu'on dit!»

On s'est laissés sans se toucher ni des mains ni des lèvres, elle m'a cependant lancé un baiser sonore en s'ovalisant la bouche. J'ai fait abstraction de leurs rires ouillouilleux, signe que leur est laissée l'initiative de développer une histoire qui puisse nous advenir, et je suis parti du côté du bureau de poste, mais en pensant au Café Ollé et au Macrobiote. Je me demandais si je saurais trouver des paroles apaisantes pour la bédéiste, mais à quoi bon ces précautions! On se libérerait, et d'autres avec nous, de l'angoisse de l'avant ou de l'anxiété de l'après, on ne serait pas moins esclave de ce soi-même qui sert de fil conducteur à son existence.

Comme tenu en déséquilibre par une nouvelle légèreté, j'allais d'une démarche d'enfant de deux ans qui virevolte au milieu des danseurs d'une noce et qui semble chercher son chemin dans la vie alors qu'en fait il zigzague à l'avenant pour se sauver de sa mère.

J'essayais de vérifier par des cuic et des tchirp plutôt défectueux si l'oisillon mal plumé était bien parti survoler le monde, quand j'ai été intercepté, à l'angle de rues qui ont l'air de ruelles, par une Antillaise à la voix de miel, micro en main et *Du côté de chez Swann* dépassant d'une poche de sa chemise, qui se laissait pousser du coude par un photographe asiatique à l'accent du Lac-Saint-Jean. « Yo ! t'as vu le spécimen de weirdo, toi ! Pose-lui vite la question… » Flash électronique. Celui-là, il doit être du genre qui garde sa chaussure quand il prend son pied. « Ho ! s'il vous plaît, pas sur le front, les grandes lunettes, gardez-les sur les yeux… » Flash synchronisé. « Monsieur, c'est pour *Le Journal de Montréal*… » Flash. On entendait au loin comme un vacarme de train, mais pas de pépiements de moineaux ni de friselis de plumage. « Monsieur, voulez-vous répondre à la question du jour ? » Flash. Se pourrait-il que mon heure d'évasion chante de cette voix ferroviaire pour m'interpeller ? « Monsieur, votre photo et votre commentaire paraîtront demain dans le *Journal*. » Flash. Qui sait si la réalité, pour une fois, ne sera pas là où je l'attends ? J'ai aussi mis mon Nagra en marche. « Monsieur, voici la question, écoutez bien. Compte tenu de la récession, pensez-vous pouvoir quitter Montréal cet été ? » Curieux comme, de l'autre bord des choses, le flash aveugle au lieu d'éclairer ! « Quitter… Oui, je pars à l'instant. Les gens d'ici me décriront bientôt comme une masse absente. J'aurai été m'envelopper parmi les flâneurs d'une autre ville…

— Monsieur, pour où, s'il vous plaît, partez-vous ?

— Pour Québec.

— Monsieur, pour vous, c'est donc possible de partir ?

— Oui, ça semble faisable de m'en aller. Peut-être un soir m'attend, comme dit le poète, où je boirai tranquille en quelque vieille ville et mourrai plus content. Chacun ouvre sa route à sa manière propre ; le plus malaisé, c'est de la refermer derrière soi et de...

— Ho ! le Tyrolien, on te demande pas un traité de philosophie, là, on veut juste savoir si t'as les moyens de partir en vacances cet été, oui ou non.

— Ce soir, voyez-vous, où que le soleil se couche, demain, d'où qu'il se lève, j'aurai quitté ces parages de pur impossible, chaîne pendante au cou, comme un chien évadé, me serai engagé vers mon propre lieu, s'il en est un, oublieux de moi-même, convaincu que c'est moins ce que l'on est que ce que l'on cherche qui produit des effets de sens en soi. J'irai, de la glaise dans le sanglot, dans le Downshire convertir les chiqueurs et libérer les moineaux ou dans les Lowlands barbouiller la mer de graffitis, vers le Bas-Saint-Laurent pelleter un trou dans l'eau du fleuve, dans les bas quartiers de Naples enregistrer le sifflet des anges, à Canton baptiser les bicyclettes, ou mieux, je descendrai à Québec faire jouir des usagers du téléphone, dans la basse-ville personnifier le père Noël, rue du Sault-au-Matelot me jeter dans un bac à recyclage, me faire biseauter un nombril de Mouton, acclamer les Bleus et conspuer les Chicagouins. Pas besoin de me rendre jusqu'à la Montagnaise ni d'aller mourir en elle pour renaître, le lieu des origines me suffira. Pas envie de la voir avant qu'elle ne soit au rang des morts. De toute façon, je manque de larmes pour mouiller ses pieds et de cheveux pour les assécher. Il y aura assez du tardillon, dont le chien mourra d'émotion en me voyant surgir... J'y trouverai mon horizon, ou celui d'un autre, mais en tout cas un horizon. J'irai donc ailleurs, sans provision de vie, porté par les vents, vivre le cœur desserré, j'irai là où je dis bavarder loin de mon étriqué, et jusqu'à sans fin, sans but, sans réminiscence. Je ferai le tour de l'Irlande monté sur un vélo de poussière, dix fois, cent fois, mille fois au moins, jusqu'à me reconnaître dans la répétition, qui est la plus consolante des misères pour les uns, la plus misérable consolation pour les autres. Je dirai partout le clown que je ne suis pas, celui qui a eu mal, qui a été trahi, qui a peu fait, qui a eu la quiétude démissionnaire. On me reconnaîtra en celui qui aura pleuré le départ des oies sauvages, mais dont personne n'aura entendu la voix, et le monde pourra continuer de tourner comme si de rien n'était, débarrassé de ce condensé de récit fuyant, de cette chronique avortée, de cet écoulement de dictées le long de la chandelle et sur la bobèche. Ça fermera le magasin de curiosités. On verra si ma Plateausie continuera son œuvre d'exister en moi quand je n'aurai plus de présence en elle, que je l'aurai échangée contre les plaines bleues de Québec, si je saurai me recomposer une Québécie, une Américanie. Je résoudrai des problèmes de maths assis le long de la voie ferrée dans la renouée des oiseaux, qui ne répugne pas à se laisser piétiner et dont les graines seront dispersées par les oiseaux. Je scénariserai des canulars en boucle pour amuser les enfants d'hier et me ferai appeler Manche de Pelle cassé ou Bizoune mollissante. Je réapprendrai à marcher comme le plus vaste nombre des hommes — rude besogne —, la sarbacane entre les cuisses, et ferai résonner dans tous les pays de la Province des psi-îîît de fin de quart ou mieux, des pfui-îîît improvisés, et si d'aventure je devais m'endormir en chemin du sommeil de la terre, eh bien, qu'on m'expose à l'air libre, dos au sol afin que mon esprit s'envole vers un carré de ciel tendre, et qu'après un peu de musique on me laisse seul sur un treillis de branches à hauteur d'homme, sous un soleil journal, saillant et brillant, afin que j'aie vue sur le pays immédiat et si possible jusque sur les Moutons bleus. Icare à la craie, au centre mou et au regard d'acier, je vais peut-être enfin pouvoir plonger dans la terreur des ciels de nuit, parmi les étoiles déposées là, dormir des deux oreilles et oublier un peu le cirque humain, ses relances, ses reprises… Longtemps, si longtemps, je me suis caché du bonheur… »

Je me cassais la voix dans le désert, les deux jeunes me trouvaient ennuyeux comme une exposition permanente. Le photographe avait l'air de chercher un signe dans le vol des oiseaux, tandis que l'intervieweuse, qui m'examinait d'un regard dévissé, ne cessait, la main sur son livre de poche, comme pour le protéger des intrus, de se beurrer d'un rire embarrassé, ce qui accentuait son air traqué. Celle-là, elle doit être du genre qui s'amène chez des amies à l'improviste, le samedi soir, le divan sous le bras, et qui leur paye une rasade de refoulements et de défoulements ; on lui demanderait de déballer sa courte vie, je parie que ça ne serait que fuites et poursuites, qu'amours et haines, que peurs et pleurs. C'est pour ça qu'elle m'envoûte autant qu'elle m'intimide. « Monsieur, soyez plus clair, plus concis, s'il vous plaît…

— Yo ! t'as qu'à écrire ce que tu veux, je gage qu'il sait même pas lire ni écrire.

— Le Monsieur a du crayon, ça s'entend, puis j'aime pas tricher, fout tonnè !

— Oh ! attention, là, essaie pas de m'emberlificoter avec ton joual de la Martinique, et pis je te préviens, tu vas pas me faire mettre sur la tablette les photos d'un échantillon de marginalité comme celui-là… J'vas l'écrire moi-même, sa réponse, s'il le faut. Alors insiste.

— Monsieur, s'il vous plaît… »

Il y a eu un temps long comme un linceul, un temps de rêve. Qui nous bousculaient presque, des silhouettes fantomatiques, comme des personnages de toiles inachevées, sans bouche ou sans regard, défilaient à pas pressés sur les trottoirs. Flash. Elle se tenait à un effleurement de mon épaule, de ma main, mais à un frôlement, ce n'est déjà plus moi depuis longtemps et rien là n'a jamais été et ne sera jamais à moi. « Monsieur, donnez-nous d'abord votre nom.

— Gésu… ou plutôt Marin Renard, c'est ça, Marin avec un M tout ce qu'il y a de plus capital et un point piquant sur le *i*. Renard : le dos rond comme un R majuscule, chauve comme un *e*, arqué comme un *n*, compliqué comme un *a*, en porte-à-faux comme un *r* minuscule, fessu comme un *d*.

— Monsieur Retard…

— Renard !

— … votre réponse.

— Votre ami a raison, faites-moi donc dire ce que vous voulez, et que retombe la poussière ! Et que ma joie démaille, déraille, défaille… »

J'ai dû faire éclater un rire d'enfant qui court pieds nus dans l'herbe longue. « Ho ! tu vois, il le dit lui-même…

— Monsieur, votre commentaire à vous, s'il vous plaît… »

L'un de moi a retourné un coup de flash en tournant cette fois le mien de polaroïd de façon à nous prendre ensemble, la reporter et moi, en plan rapproché, très rapproché, comme je ne l'ai jamais été de personne sur une photo. J'en ai pris une deuxième sans le tyrolien et une troisième sans même les lunettes… Rugissaient au loin des sifflements de trains auxquels j'ai répondu à l'aide du sifflet de marine cuivré, il en est sorti un psi-îîît d'escapade qui a décontenancé la belle Antillaise. J'ai remis les lunettes : « Puisque vous insistez, mademoiselle, disons d'abord ce commentaire pour moi, à mettre au bas des pola-roïds : *intervieweuse / journal / voix de miel / peau de miel*.

— Ho ! y se moque de toi, là ! Moi, je te dis : je le tiens pas tout à fait innocent, le bonhomme…

— Et pour votre journal, qui exige des déclarations brèves, j'ajoute ce déjà-vu rejoué sur un ton évocateur, un échantillon de vie épié en moi-même, peu banal j'en conviens, et que je résume en trois lignes cadencées sur le modèle du haïku japonais. Vous connaissez ? »

J'ai griffonné un haïku dans le carnet emprunté à l'autre poche de la chemise carreautée de l'apprentie journaliste au sein ferme, oui ferme, très ferme ! j'en témoigne et m'en souviendrai quand je m'ennuierai de la trique, puis me suis engagé vers un point de fuite, Charlot à peu près droit sur son axe et sur ses pattes de grenouille, les oreilles de Renard dressées et frétillantes, en me répétant et répétant et répétant ce tercet de triades de mots laissés sur elle comme pour ne jamais les oublier :

Marin en partance,
destination de moineau,
Renard sans retour.

Voilà. Deux doigts jetés dans les babines à la place du sifflet de marine, pour à la fin déployer un sifflement d'échappée long comme ça ! Pfui-îîît…

MISE EN PAGES ET TYPOGRAPHIE :
LES ÉDITIONS DU BORÉAL

ACHEVÉ D'IMPRIMER EN SEPTEMBRE 1999
SUR LES PRESSES DE L'IMPRIMERIE AGMV MARQUIS
À CAP-SAINT-IGNACE (QUÉBEC).

194